JN077687

グラフィカルな表現法による
複雑現象の理解

連続セミナー講演録

神戸大学大学院工学研究科グラフィクスリテラシー教育研究センター　編

神戸大学出版会

はじめに

「絵は千言に勝る」という言葉を何かの書物で読んだ記憶があるが、人に何かを伝えたり、書類作成の仕事をしていると、この言葉が実に言えて妙であるなという場面に出くわす。ぐだぐだと言葉を並べるよりも1枚の絵だけで伝えたいことがわかる場合だってある。申請書類や論文などの作成を日々の生業としている私にとっては、絵や図はなくてはならないものであり、この絵や図が仕事の価値を決めていると言っても過言ではない。グラフィックなリテラシーを持つことは、生活や人生を豊かにするために重要ではないかと日々思うのである。

私にとって、インパクトのある図との出会いは二度ある。一度目の出会いは、大学の学部の授業でアルコールと水などの混合物の分離・濃縮に使う蒸留塔の設計を学んだ時である。蒸留塔は棚状のプレートを積み重ねていく棚段塔と呼ばれる装置が一般的で、この装置を設計することは棚の数を決めることである。気体と液体の平衡関係を表す曲線と操作線と呼ばれる線とを階段上に結んでいくと、図の階段の数が必要な棚の数になるというものである。これまで図は物事を理解する道具だと思っていた自分にとって、図によって求めている答えが得られるというのは、大きな衝撃であった。

二度目の出会いは、修士論文の研究を行った時である。私の所属は化学工学であったが、指導教員の先生にお願いして化学工学とは少し外れた流体力学系のカオスの研究をさせていただいた。回転流や熱対流などのある種の流体力学系では、「乱流」と言われる完全に発達したランダムな乱れ状態になる前に「カオス流」と呼ばれる非周期的な流れが発生する。速度変動などの時系列データは不規則な非周期運動を示すのであるが、この時系列データを位相空間上に再構築すると独特の幾何学的な構造を有する。例えば、大気変動を簡略化したローレンツモデルは、たった3つの変数からなる非線形微分方程式モデルであるが、特定のパラメータ値のもと、得られる解はカオス的な振る舞いをし、位相空間上の解集合はローレンツアトラクターと呼ばれる蝶の羽のような構造をとる。このように位相空間を用いることで、不規則性に内在する秩序構造を見出せることを知って、グラフィカルな表現法の深淵を思い知ったのである。

以来、さまざまな分野でグラフィカルな表現法を駆使し、ワクワクするような知的冒険がなされているのではないかという思いを持ってきた。2020年に神戸大学大学院工学研究科にグラフィクスリテラシー教育研究センターが設立され、私も構成員の一人としていただいたのをきっかけに、このワクワクするような知的冒険を知ってみたいという気持ちがますます強くなった。そこで、鈴木センター長にお願いして、連続セミナー「グラフィカルな表現法による複雑現象の理解」を開催していただいた。このセミナーで語られた内容は、私の予想どおりグラフィクスワンダーランドを体感する素晴らしいものであった。この本はこのセミナーの講演録であり、この本を手に取られた読者の方々にも是非一緒にグラフィクスワンダーランドを体験し、ワクワクしていただきたいのである。

最後にこのセミナーで講演いただいたみなさんにこの場を借りて深く感謝の意を表したい。またこのセミナーを企画・実施していただいたセンター長の鈴木広隆先生、センター長補佐の祇園景子先生に感謝の意を表する。

さあ、今までにない視覚的なアプローチで知識を深め、新たな発見に出会う喜びを体感するため、一緒にグラフィクスワンダーランドへの扉を開き、知的な冒険に出発しよう。

2024年2月
神戸大学 理事・副学長
大村直人

目　次

はじめに　大村直人　神戸大学 理事・副学長 …… 2

連続セミナー「グラフィカルな表現法による複雑現象の理解」について …… 6
鈴木広隆　神戸大学大学院工学研究科グラフィクスリテラシー教育研究センター センター長

1　情報可視化による複雑現象の表現 …… 8
伊藤貴之先生
お茶の水女子大学文理融合 AI・データサイエンスセンター センター長

2　i.school のイノベーションワークショップにおける
チームワークの可視化 …… 38
堀井秀之先生
i.school エグゼクティブディレクター、(一社)日本社会イノベーションセンター 代表理事、
東京大学 名誉教授

3　Functional Porous Materials with Ordered Structures:
From Synthesis to Applications …… 62
Prof. Kevin C.-W. Wu
Department of Chemical Engineering, National Taiwan University

4　発想段階における光の視覚化 …… 90
面出薫先生
照明デザイナー、(株)ライティング プランナーズ アソシエーツ 代表、照明探偵団 団長

5 空間と彫刻（平面と立体、行ったり来たり）……118
JUN TAMBA 先生（塚脇淳先生）
彫刻家、神戸大学 名誉教授

6 格子ボルツマン法が描く混相流の不思議な界面形状……136
松隈洋介先生
福岡大学工学部化学システム工学科 教授

7 音線法を用いた屋外空間における
音声の聞き取りやすさの可視化……162
佐藤逸人先生
神戸大学大学院工学研究科建築学専攻 准教授

8 物理則に基づく散乱光計算による
大気・雲・水等の自然現象の CG シミュレーション……182
西田友是先生
東京大学 名誉教授、広島修道大学 名誉教授、プロメテック CG リサーチ 所長、
デジタルハリウッド大学 卓越教授

おわりに……204
祇園景子 神戸大学大学院工学研究科グラフィクスリテラシー教育研究センター センター長補佐

神戸大学大学院工学研究科グラフィクスリテラシー教育研究センター
メンバー……206

連続セミナー
「グラフィカルな表現法による複雑現象の理解」
について

本連続セミナーは、複雑現象を理解するためのツールとして「グラフィクス」をとらえ、さまざまな分野に存在する複雑現象を解き明かすことを目的として開催しています。2020年12月から始まった本可視化セミナーは、2024年3月には第18回が開催されるまでとなりました。本連続セミナーを主催する神戸大学大学院工学研究科グラフィクスリテラシー教育研究センターは、さまざまな分野におけるマルチスケールなグラフィクスリテラシーについて、基礎と先端知識についての先進的教育と、実践としての研究を推進するために、2020年4月に設立されました。右の図はそのコンセプトを図で表したもので、工学系の学生が身に付けるべきリテラシーを「描く」、「作る」、「測る」の3つであるととらえ、これらに関する投象、CAD・CG、3Dプリンター・3Dスキャナー・ドローン測量等の知識・技術をさまざまなスケール・分野で活用することを視野に入れた教育内容を提供しています。このコンセプト図は、3つのリテラシーと3つの知識・技術が密接な関係にあることを正反三角柱という多面体の形を借りて表現したものであり、この図がそのまま本センターのロゴになっています。

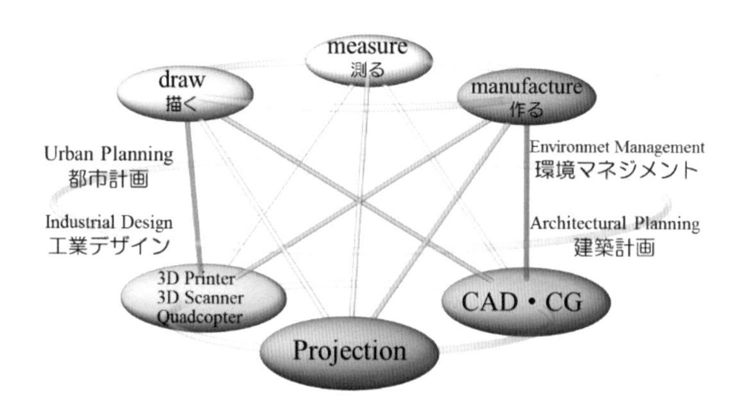

本センターでは、教育活動に加えて、実践的活動と普及啓発活動の3本柱としています。実践的活動としては、グラフィクスリテラシーに関わるWebを通じた情報発信や、コロナパンデミックの環境における空間デザインコンペティションを行いました。普及啓発活動としては、インターネットを介したVR（Virtual Reality）技術を用いたオープンイベントと本連続セミナーを開催しています。当初は、工学系＋アルファの分野を念頭においてスタートしましたが、開催を続けるうちに、そのターゲットはデザイン、美術、理学、音楽、経済学と分野の垣根を越えて広がっています。これは主催者側の想定していなかったことですが、あらためてグラフィクスの持つ力の大きさと普遍性を痛感しています。また、美しくわかりやすいグラフィクスを用いてグラフィクスの力を知らしめ、次の講演につないでくださった連続セミナーの講演者の方々に深く御礼申し上げます。

なお、スペース・予算等の制約で、本講演録では18回の講演のうち8回分のみ収録しています。ここで収録することのできなかった講演を担当くださった講演者のみなさまにはお詫び申し上げます。別途、可視化技術に着目した書籍の出版を計画しており、収録できなかった内容については、そちらで紹介できればと考えています。

神戸大学大学院工学研究科グラフィクスリテラシー教育研究センター
センター長　鈴木広隆

1

情報可視化による複雑現象の表現

講演者：伊藤貴之先生

お茶の水女子大学文理融合AI・データサイエンスセンター センター長

主催

神戸大学大学院工学研究科グラフィクスリテラシー教育研究センター

共催

お茶の水女子大学文理融合AI・データサイエンスセンター

日本図学会関西支部

神戸大学数理・データサイエンスセンター

神戸大学V.School

協賛

(公社)化学工学会SIS部会ダイナミックプロセス応用分科会

ご紹介ありがとうございます。私はお茶の水女子大学の伊藤と申します。どうぞよろしくお願いいたします。今日はどういう話をさせていただくかというと、人はなぜデータを眺めるかということを最初に10分20分ぐらいお話をさせていただいて、その後データ構造で情報可視化を分類するということで、主に「多次元データ」、「時系列データ」、「階層型データ」、「ネットワークデータ」の4種類についていくつかの事例を紹介したいと思います。ではまず、人はなぜデータを眺めるのかという話をさせていただきます。今日、紹介する可視化というものがどういうものかということですけども、可視化という言葉は非常に意味が広くて、文脈によって全然違う目的で使われています。今日の可視化という言葉は、ある程度高度な描画技術を用いて、それを見ることによって何かしら知見を探し出させることとします。文脈によって、可視化という言葉は本当にいろいろな意味に使われるのですけども、今日はとにかくコンピュータの描画技術を前提としたものの話をさせていただきます。図1をご覧ください。

僕の研究室でもいろいろな適用事例がございまして、例えば空気の流れですとか、それからタンパク質の形です。タンパク質の形は顕微鏡で見ても

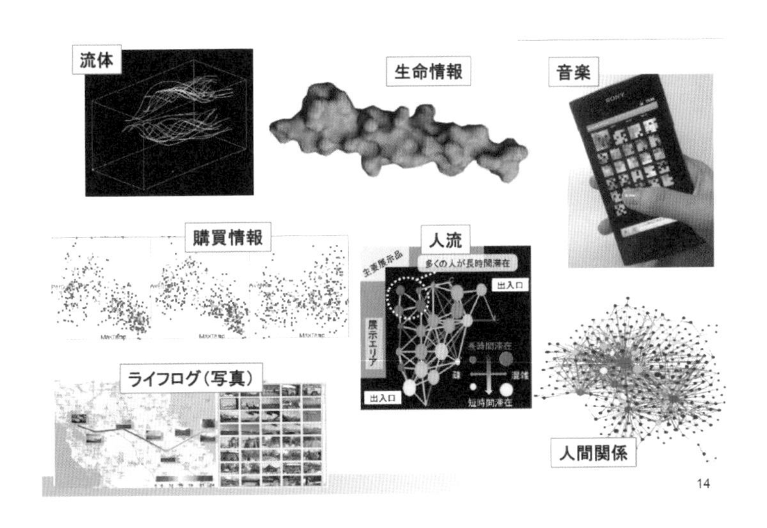

図1　伊藤研究室における可視化の事例

はっきりしないものですが、これもコンピュータグラフィクスで再現できます。あるいは、購買情報を集めてくるとか、人の動きや人間関係を集めてくる、または、写真を集めてそれを再構成することによってその人の生活記録を再現する、というものや、音楽のように本来だったら目ではなく耳で楽しむものを、目で見えて何か知見をもたらすように視覚表現をするものもあります。このようなものをアプリケーションとして対象としています。

では早速みなさんに質問です。人は可視化をするときに何をするのか、というようなことに関するお話なのですけども、図2のグラフのどこに注目するかということでみなさんによく質問しています。このグラフに(1)(2)(3)…(6)と書いてあります。一旦これを消します。

みなさん、このグラフの形だけ見たときに、(1)から(6)のどれが一番最初に目に付いたでしょうか。チャットに数字を1つ書いていただけますでしょうか。基本的に、(1)と(5)と答えるのが大抵どこで講演しても多いです。何人か(2)とか(6)という方がいらっしゃいましたけれども、かなり注意深い方かなと思います。普通に考えると、やはり(1)とか(5)と答える方が一番多いのが自然ではないかなと思います。この折れ線グラフ、何の折れ線グラフなのか、今何も説明しておりません。図3のように注釈文を加えると、実はこれは1年間の集計結果のです。1月から12月までの集計結果があって、そこに春休みとかエイプリルフールとかマンデーとか、いろいろな注釈があります。この注釈と、それから月の仕切り線を見た上で、もう一度同じところを質問します。(1)から(6)のうち、みなさんはどこに興味を持つかというのを、複数回答で結構ですので数字を自由に書いていただけますでしょうか。注釈が変わ

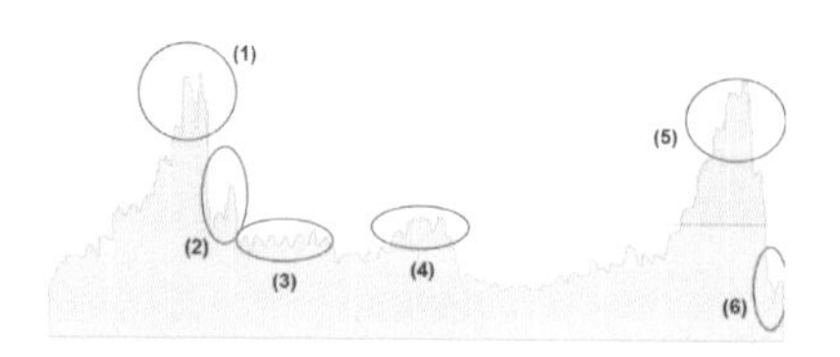

図2　どこに注目するか考えるためのグラフ

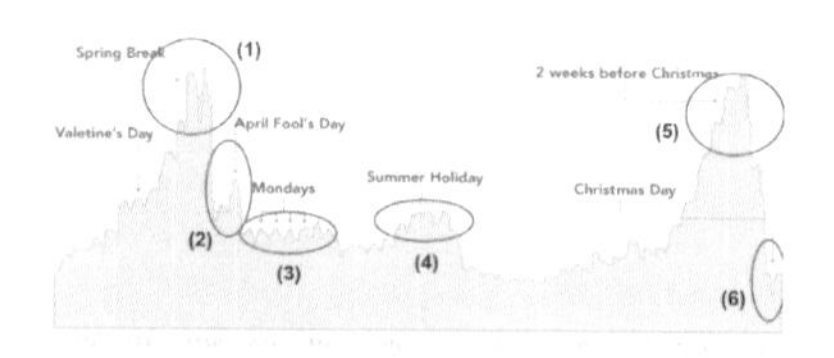

図3　どこに注目するか考えるためのグラフ
（注釈付き）

ると途端に、⑴と⑸よりも別のもののほうが票数が多くなるというのが、どこで講演してもやはりそういう現象が見られます。単にグラフの形だけを見る時と、そこに注釈が加わってそれを照合する時とでは、可視化の見方というのは大分変わってくるわけです。そこによって、みなさんはこの折れ線グラフのどこからどんな知見を引っ張ってこようかというようなことが起こるわけです。それが可視化という技術の面白いところであり、逆に言えば、それをどうやって引き出すかということが技術のポイントになるわけです。もう少し勿体ぶって、このグラフの正体を説明する前に、実際にユーザーテストを行った際の結果を報告させていただきます。ほんの少ない人数なのですけども、今の2つの質問と同じような「折れ線の形を一目見て『目立つ』と思ったのはどこ？」、「月や注釈と照らし合わせて『面白い』と思ったのはどこ？」というユーザーテストをやったところ、1回見て目立つと思ったところというのは、さっきの⑴と⑸と同じところがやはり多くの人の回答で、それに対して、面白いと思ったところというのは非常に票が割れるのです。この注釈があるかないかによって、可視化の見方というのは大きく変わるわけです。つまり、折れ線の形と、何かしらの知識を照らし合わせるということが、このグラフを読み解く上で非常に重要なポイントであるということがここで実感されると思います。

さて、ここまで説明したところで、ようやくこのグラフが何なのかということを紹介いたしますと、このグラフはFacebookでの別れの件数です。Facebookは「誰々さんと交際中」というフラグをつけるという、僕は初めて見た時はギョッとしたのですけど、そういう機能があるわけです。そのフラグをオフにした人数を、365日丹念に数えたグラフなのです。TEDという講演会で、この折れ線グラフが紹介されて一躍有名になりました。僕は世界で一番下世話な折れ線グラフという具合に呼んでいるのですけれども。これは、よく見るといろいろなことを妄想させるのですね。例えばエイプリルフールの4月1日に別れる人が多いのは、どんな悪質な嘘をついて彼氏・彼女を怒らせたんだろうとか、あるいは付き合っていたこと自体が嘘だったのではないかとか、いろいろなことを妄想させるわけです。それから、なぜ4月になると月曜日に別れが多いのか、まったく意味がわからないです。Googleで「April/Breakup/Monday」と検索しても何も出てこないのです。だけど、なぜか統計上はほんの少しだけ月曜日が多い。それから、クリスマスの2週間前に別れが多い。日本だと「クリ活」といって、クリスマス前は彼氏・彼女を探しているシーズンなのに、なんで海外では別れる人が多いんだ、というのが非常に不思議な現実なのです。ところが、これだけでは、本当に別れただけなのか、次の人に乗り換えたのかということまではわからないわけです。いずれにしても2週間前は動きが大きいということになるわけです。それからクリスマスデイですが、海外でも欧米では特にクリスマスの日というのは親子で過ごす日なので、彼氏・彼女とのインタラクションは1日お休みみたいなものが多いので、やはりその分別れる人もガクンと1日だけ少ないです。こういうことがわかるわけです。つまり、グラフに書かれている折れ線の形と、注釈と、我々自身が持っている前提知識を照らし合わせることで、グラフ1枚からいろいろな仮説を立てることができるわけです。

図4をご覧ください。可視化というのはどんな効果をもたらすのかというと、やはり例えば折れ線グラフの形に代表されるような視覚表現として目に付くもの、気になるもの、それに対して照合する前提知識とか問題意識と、

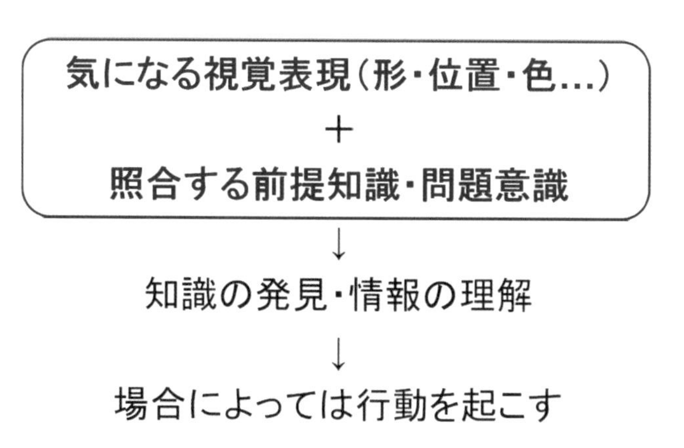

図4　可視化とその効果

これらがカップリングされることによって、知識を発見したり情報を理解したりするということになります。可視化するだけではなくて、場合によっては行動を起こすこともあります。例えば、データを修正するだとか、我々の生活習慣を変えるとか、可視化結果からそういうことをもたらすことがあるわけです。例えば、ダイエットしている人が、体重の変化のグラフを見て日常生活を変えるみたいなことというのがあるわけです。あと例えば、図3のグラフを見たら、クリスマスの2週間前は彼氏・彼女を見つけるのは狙い目なシーズンだとか、そういうふうに行動を起こす人もひょっとしたらいるかもしれないわけです。あるいは、エイプリルフールに悪質な嘘をつくのはやめようという行動を起こすかもしれないわけですよね。ですので、一応可視化というのは、場合によっては行動を起こす場合もあるということになるわけです。

同じくFacebookで友人関係を表したネットワーク（図5参照）が一時期公開されていたことがあります。

これは友達同士の居住地を線で結んだ可視化ですが、これを見ると本当にいろいろなことが連想されます。日本とか韓国はそんなに明るくありません。つまり日本や韓国はLINEとかカカオとか、要は東アジア特有のメッセージングソフトがあるので、Facebookがなくても友人関係はオンラインでつながるわけです。やはり、自国にそういうものがあまり発達してない東南アジアの方がFacebook依存度が高いです。あるいは、インドとかオーストラリアとかは、Facebookのユーザーがいる場所といない場所というのが顕著に違っています。よく見ると日本も都市部と地方ではだいぶ密度が違うということがわかるわけですけども、それがインドやオーストラリアではもっと顕著です。あとは、中国はやはりネットワークの規制が厳しいのでFacebookユーザーが非常に少ない。我々の前提知識と調合すると、いろいろなことが理解できるということになります。

では、情報可視化の用途ですね。使い道として、どんなものを我々想定し得るかということで、僕が出版している本の中にこんなようなことを書いております。図6をご覧ください。1つは、まずデータを与えられた時

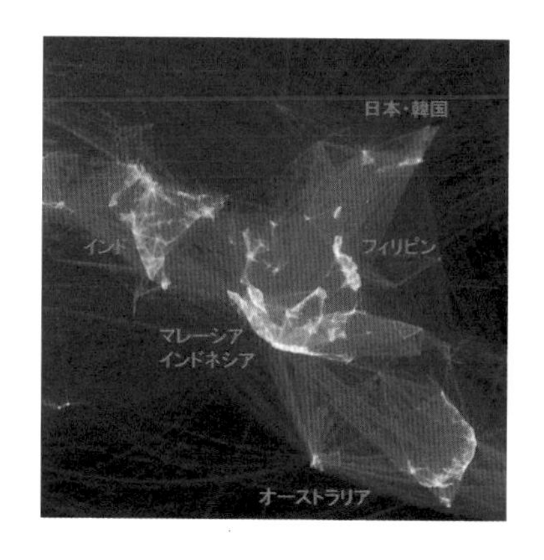

図5　Facebookの友人関係を表したネットワーク

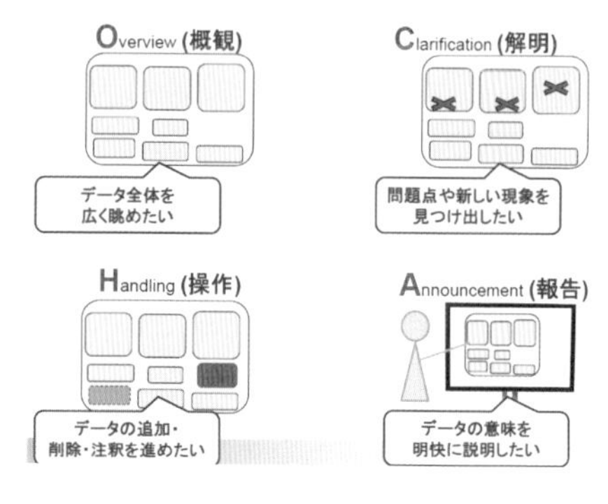

図6　情報可視化の用途

に、最初にデータ全体を広く眺めるということ。これが、“Overview（オーバービュー）”とここでは称させていただきます。それからデータの中にある問題点を見つけるとか、新しい現象を見つけること。例えばの話ですけれど、エイプリルフールには別れが多いとか、クリスマスの日は別れが少ないみたいなピンポイントな現象を見つける。こういうようなものを、ここでは“Clarification（クラリフィケーション）”と呼ばせていただきます。それから、ここまでの例では出てこなかったのですけども、データを追加したり削除したり注釈したりするという“Handling（ハンドリング）”というものです。最近ですと、僕は機械学習のためのデータの可視化というのをよくやるのですけども、例えば機械学習の精度を悪くするような例外的なデータとか、あるいは間違ったデータとか、そこを削除したり追加したり、あるいは何か偏った結果が出たときに、足りない要素を追加するとか、そういうようなことを機械学習で訓練データをクレンジングする目的で可視化をするみたいなことをやったりします。そういうのをまとめてここでは“ハンドリング”という具合に呼びます。最後に可視化結果、分析結果を人に報告するという目的で、ここでは“Announcement（アナウンスメント）”と呼びます。これが、僕が考える情報可視化の主要な用途であるということになります。この4つの頭文字を縦読みすると、みなさんおわかりのようにOCHAということで、お茶ということになります。ぜひ、可視化の用途というのは4通りOCHAであると。私、お茶の水女子大学が可視化のメッカになることを目標にして、この4つの用途というものをこれからも提唱していきたいと考える次第です。

ここからが今日の本題になります。可視化をやりたいのだけども、どういう表現を使えばいいかわからない、という質問をよく受けます。これに対する一番ロバストな答えは、データ構造が何であるかを先に明らかにすることです。情報可視化の権威的な研究者であるベン・シュナイダーマンという教授がいるのですけども、その教授が情報可視化の手法というのは7種類のデータ構造に分類するとわかりやすいということを提唱しています。データが一次元、二次元、三次元、それから4以上の変数を想定した多次元、それから時間ごとの変数を持つ時系列、それから階層型のデータ、ネットワークのデータということで、この7種類に分類すると可視化の手法というものは、何を使えばいいかというものが選びやすくなる、というようなことを提唱しています（図7参照）。

- 1次元:変数を1個持つ
  - 例:100人の英語の点数
- 2次元:変数を2個持つ
  - 例: 100人の英語、数学の点数
- 3次元:変数を3個持つ
  - 例: 100人の英語、数学、国語の点数
- 多次元:変数をn個持つ (n>3)
  - 例: 100人の英語、数学、国語、理科、社会… の点数
- 時系列:時間ごとの変数を持つ
  - 例:100人の英語の1年目、2年目、3年目の点数
- 階層型:階層(木構造)をもって格納されている
  - 例:全校生徒の英語の点数を学年、クラス、男女で階層化したデータ
- ネットワーク:個体間のリンクを有する
  - 例:全校生徒の友人関係を線分で結んで表現したデータ

図7　データ構造による情報可視化の分類
（情報可視化の権威的研究者であるBen Shneiderman教授の提唱による）

これが提唱されたのはもう20年以上前の話ですが、現在も情報可視化の国際会議に行くと、それこそ「多次元」や「時系列」や「ネットワーク」という言葉がそのまま国際会議のセッション名になっていますので、この分類に従って手法が開発されているというのが20年以上も続いています。ですので、情報可視化の手法を紹介するにしても、だいたいこれに分類して紹介するのが一番やりやすくて、しかも例えば教科書などを書くのも、あるいは国際会議のセッションを組むのも、データ構造に基づいて分類するのが一番やりやすいという状態が現在も続いております。1次元、2次元、3次元の可視化というのは、言ってしまえば数直線とか散布図とかスタンダードなもので実現可能ですので、下の4つについて今日は代表的な手法とか、あるいは僕の研究室で発表したことのある手法について紹介をしたいと思います。

というわけで、「多次元データ」、「時系列データ」、「木構造・階層のデータ」、「グラフ・ネットワーク」のデータの4種類について、それぞれの手法と我々の研究の例を紹介したいと思います。まず1つ目は多次元データについて紹介します。多次元データは多数の標本と次元を有するデータで、Excelのようなスプレッドシートで記述可能なデータです。図8をご覧ください。ここで標本、例えば試験の点数なんかを例にすると、例えば学生がズラッと並んでいるものが標本です。本によってはインスタンスと呼んだり、レコードと呼んだり、いろいろな呼び方があります。それに対して、例えば試験の科目みたいなものが、ここで言うと次元というものに相当します。本

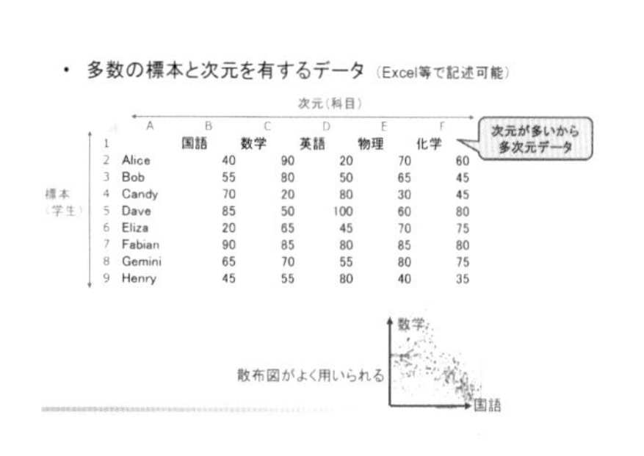

・ 多数の標本と次元を有するデータ（Excel等で記述可能）

次元（科目）

	A	B	C	D	E	F
1		国語	数学	英語	物理	化学
2	Alice	40	90	20	70	60
3	Bob	55	80	50	65	45
4	Candy	70	20	80	30	45
5	Dave	85	50	100	60	80
6	Eliza	20	65	45	70	75
7	Fabian	90	85	80	85	80
8	Gemini	65	70	55	80	75
9	Henry	45	55	80	40	35

図8　多次元データの例

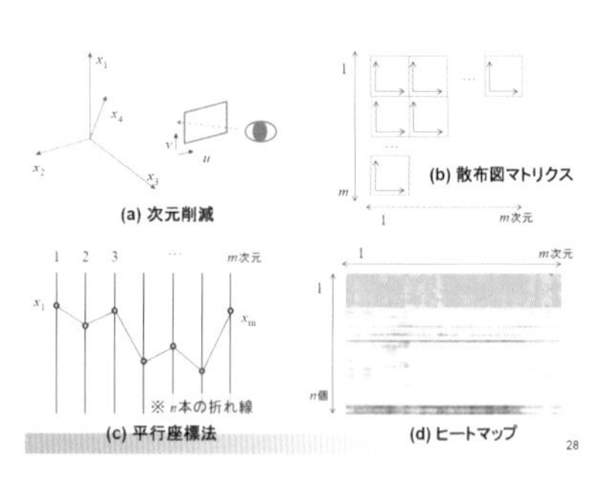

図9　多次元データの可視化の手法

によっては、アトリビュートって呼んだり、バリアブルと呼んだり、いろいろな呼び方がありますけれども、ここでは次元と呼ばせていただきます。何個かの散布図を使うと、任意の2つの次元の組み合わせで、2つの変数の間の関係というものを示すことができるということから散布図がよく用いられています。

多次元のデータの可視化というものは、代表的なものが4通りあります。図9をご覧ください。まず1つは、4つ以上の変数を例えば画面の2次元の空間に写像すると、俗に言う次元削減というもので、主成分分析に代表されるいろいろな手法が使われております。最近はUMAPとかt-SNEなどの非線形の割と性能のよい手法がたくさん知られていて、データサイエンスの分野では多用されるようになってきて、次元削減した可視化というものを見慣れている人が増えてきたかなと思います。2つ目は散布図マトリクスと言いまして、要は任意の2つの次元のペアをしらみつぶしに作って、それによって得られる散布図を行列として表現するというものです。m次元のデータがあったら、m×mの正方のマトリクスの上に散布図をしらみつぶしに並べるというような形式になります。3つ目は平行座標法といいまして、これは1個の標本、つまり散布図で言うところの1個の点に相当するものを折れ線で表現するものです。m個の次元があったらm個の平行な軸にそれをプロットするという手法です。我々、日常生活でレーダーチャートを見かけることがありますが、そのレーダーチャートとちょっと考え方が似ています。それぞれの標本を折れ線で表現することが共通しています。最後のヒートマップは色で数値を表現するという考え方ですが、これは例えばn人の人と、m個の次元があったらこれをマトリクスにして数値を色で表現するものです。このマトリクス型のヒートマップというのは、言い換えれば図8のExcelの数値が書かれている欄を全部色に置き換えたものだと考えることができるかと思います。この4つの可視化手法を全部議論するとそれだけで1つの講演ができるぐらいいろいろな手法があるのですけども、今日はこの中の散布図マトリクスに関係があるものをいろいろ紹介していきたいと思います。

まず事例を先に紹介させていただきます。散布図に関しては、次元が大きくなると作り得る散布図の数がすごく多くなります。それを全部見るというのも容易ではないということで、散布図を選んで見る価値がありそうなものだけ自動選択するというようなことを考えます。ここでは、アパレルショップの来客とか売り上げのデータを考えます。企業共同研究をした時に、気象と販売には関係があるのかどうか、何かしら可視化してみてくれという受注を受けました。そのときに最高気温、最低気温、降水量、最大風速を横軸で、来客数や総売り上げなど販売に関する変数を縦軸にしたときに、どれぐらい見る価値のある散布図が出てくるかを試してくれという問題に置き換えて考えました。そして、実際にリアルなデータを散布図にすると、どういうタイプの散布図が出てくるかということをやってみました。まず、一通りなのですけども、まず平日の1日の実績を水色の点、休日の1日の実績を赤の点として、それで1年分の販売実績と気象の関係をプロットしました。図10をご覧ください。つまりこの中には365個のプロットがあるということになります。来客数とか総売り上げは当然休日の方が大幅に大きいわけです。データを端的に表す散布図の1つは、休日と平日がどのように分離されているかを示している図、というのが1つ目のパターンになります。ただ、まれに休日並みの来客数で休日並みの売り上げとなるすごい平日があって、これについては後で紹介したいと思います。

次は客当たりの売上です。これは、売り上げが上のほうに行けば行くほど、

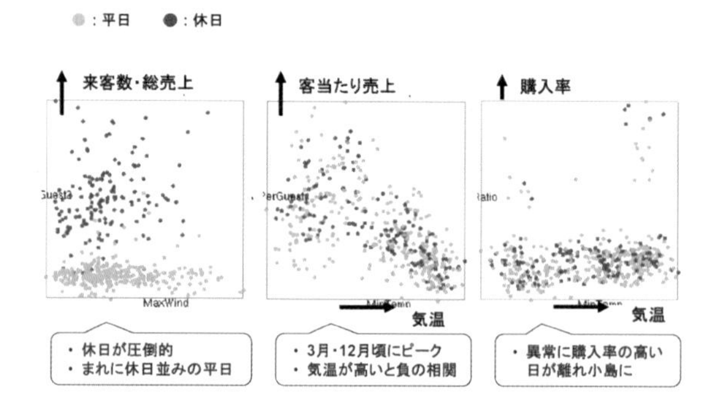

図10　気象条件と販売との関係を表す散布図

高いものが売れているということになります。気温を横軸にすると、あるところを境に正の相関と負の相関が見られます。だいたい3月と12月頃の気温のところがピークになるわけです。なぜこの時期に高いものが売れるのでしょうか。3月は入学祝いや入社祝いにスーツを買うというニーズがあります。それから12月はコートのように元々高いものが売れるシーズンです。また、12月の場合ですとボーナスもありますので、どちらかといえば羽振りがいい時期でもあります。ですので、3月と12月というのは比較的高いものが売れるというのが知られています。それは、もう既に知られているものを実証したに過ぎないということで、別に気温を横軸にしなくてもわかることです。逆に、気温が高ければ高いほど、売り上げが安いものばかりになるというのは、実はこれは気温と本当に相関がある理由らしいです。元々アパレル産業は夏物を6月7月ぐらいに売り尽くして、8月は秋物への入れ替えの時期だそうです。購買意欲のそれほどに高くない時期なのだそうです。また、売れるもの自体が、そもそもシャツとかタオルとか、単価が安いものが売れるシーズンであるということもあります。それから、そもそも冷房に当たりたかっただけで最初から買う気がなかった人もいるのではないかとか、そういう邪推も成り立つわけです。ですので、いずれにしても、いくつかの理由は本当に暑ければ暑いほどこういう傾向が出るというのは本当にあるようです。チャットで、平日のばらつきが大きいのはなぜでしょうという質問がありましたが、実はこれは図10の一番右の散布図に関係があります。これは購入率と気温の関係を表す散布図ですが、購入率というのは何かというと、店に入った人の中で実際に金を払った人の割合です。夏と冬に、来た人がほぼ必ず買い物をしている日が数日だけあります。これが、今質問のあったばらつきの大きさの1つの理由になっています。この日何だと思いますか。バーゲンは多分一番の答えだと思います。要は、売り尽くしの時はとにかく絶対に買うのだという気合を入れて来るので、ということになります。あとは考えられるのは、バレンタイン、クリスマスですよね、これもあると思います。例えば、平日なのだけど彼氏・彼女と一緒に来て、彼氏・彼女がこれ欲しいと言ったものを買ってあげるなんていう日もあるかと思います。あとは、1月の2日3日に福袋を売っている日などもあると思います。こういう購入率特異日というのが、離れ小島になっているということになります。あと逆に言うと、それ以外の日は、意外と店に来て買わない人が多いのだな、という悲しい事実もわかったりします。

こういうことがわかると、例えば店の人は、仕入れをどれぐらいにするか、店員をどの日に何人ぐらい配置するか、このようなデータを見て判断するわけです。そのような場合に見る意味がある散布図というのはどういうものかというと、このケースの場合は、見る意味がある散布図というのは全部数学的に指標を設けて判断することが可能です。図11をご覧ください。例えば相関が見られるとか、点群が細い筋になっているとか、平日と休日が分離しているとか、点群の中に離れ小島が見られるとかが見る意味がある散布図です。これ全部、何かの数値指標を設けて自動で検出することができます。あるいは、相関がどれぐらい強いかとか、あるいは平日と休日の分離度がどれぐらいかというのを全部スコアにすることができるわけです。ですので、それぞれのスコアが高いものというのを同時に1画面に入れれば、最初から1画面にバラエティー豊かな散布図を選んで、この数値分布の特徴あるものを全部いっぺんに選べるのではないかということを提唱しました。どうすればいいかということなのですけど、実はこれはいろいろな実装があって、一意ではありません。我々が、試しにこういう実装をやってみたという例を紹介いたします。今、紹介したように、複数の指標に沿って散布図を数値評価し

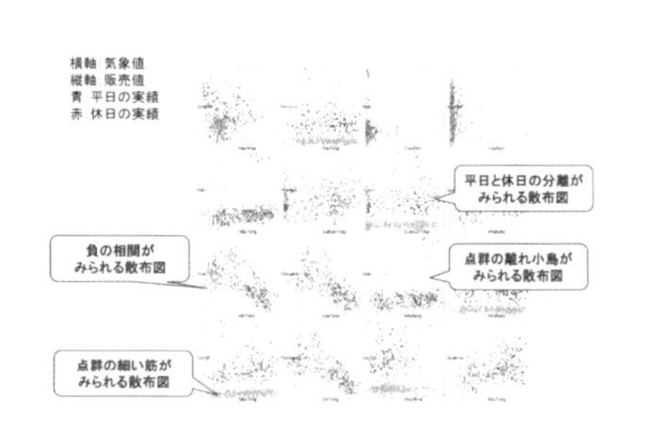

図11　気象条件と販売との関係を表す様々な散布図

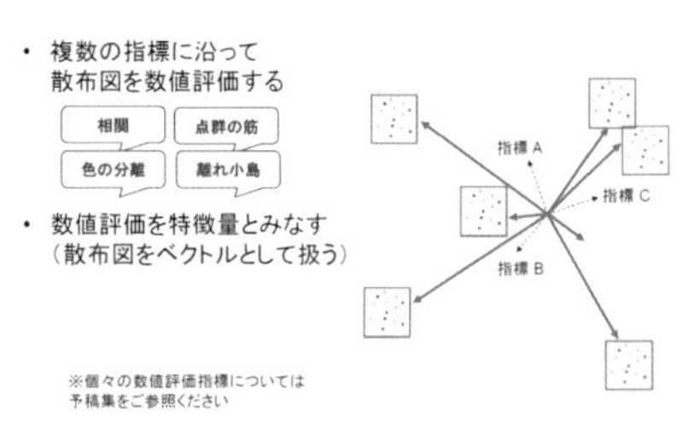

図12　散布図の数値評価

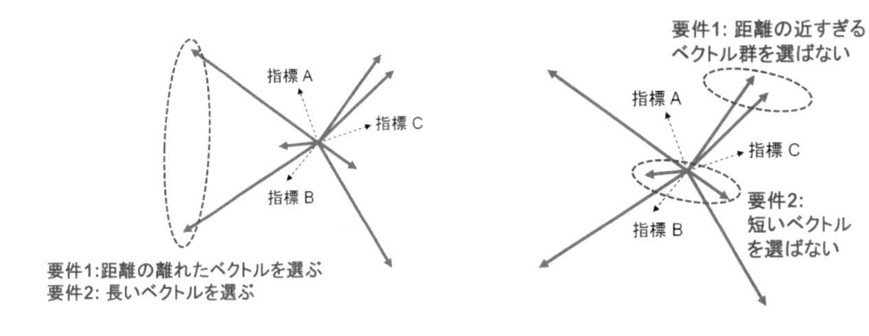

図13　選ばれるベクトルの条件　　図14　選ばれないベクトルの条件

ます。図12をご覧ください。例えば、相関だったり点群の筋だったりなどということにします。そうすると、例えばこれ4つ指標があったら、これを特徴量として4次元ベクトルとして扱うことができます。この4次元ベクトルの数値を見て、どの散布図を表示するか選べば、いろいろバラエティー豊かな散布図を最初に1画面で一気に提示できるのではないか考えました。要件としては、距離の離れた散布図を選んだ方が多様な散布図を選べるのではないかということです。それから、長いベクトルを選んだほうが特徴的な散布図を選べるのではないかということです。つまり図13のように、長くて、しかも離れているベクトルを選べば、見る価値がありそうで、なおかつ似てない散布図を同時に選ぶことができます。逆に、図14のように、距離が近過ぎるベクトル群や短過ぎるベクトルは積極的に選ばないようにすれば、似ている散布図ばかり選ばれることはなくなることになります。

実際にどうするかというと、似ている散布図を連結したグラフを作って、そのグラフに彩色問題を適用します（図15参照）。

隣接散布図に異なる色を付与すると、同じ色を割り当てられた散布図は似ていないので、同じ色を割り当てられた散布図の中からいくつかを選べばいい、という問題を解くという実装をしています。必ずしも彩色問題だけではなく、他の問題でも同様な結果を出せるものがありますけれども、我々ちょっと単純のためにこういう彩色問題という非常にスタンダードな問題を適用しています。この方法で図11に示した散布図が得られています。

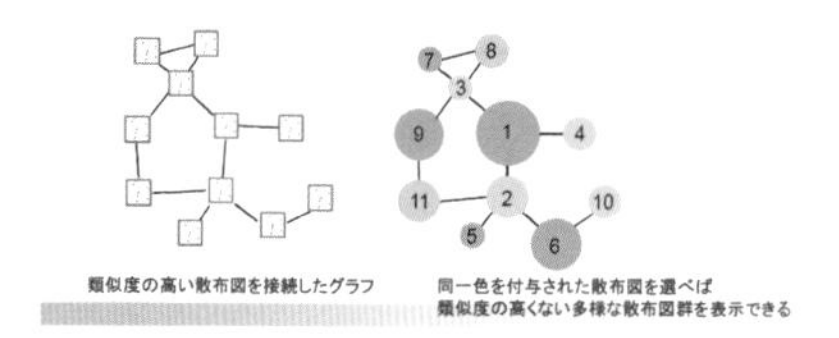

図15　彩色問題の適用による散布図の選択

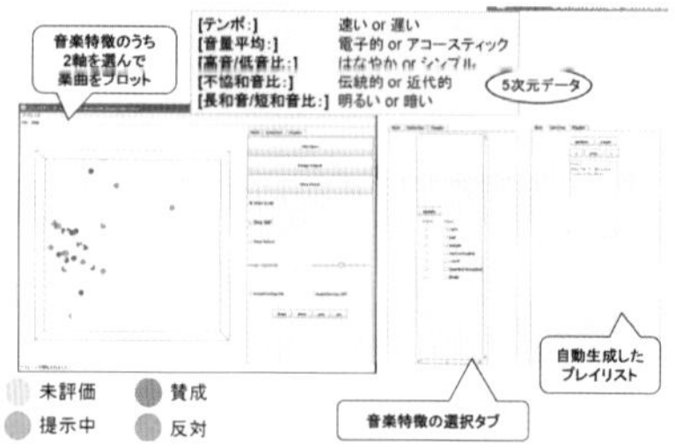

図16　音楽推薦結果の可視化手法

同じような問題をもう少しキャッチーなアプリケーションに適用した音楽推薦の例を紹介します。私の研究室は、可視化だけではなく、俗にマルチメディアと呼ばれる写真のアプリケーションや音楽のアプリケーションをやっている学生もいて、それと可視化をカップリングすると何ができるかというようなことを紹介します。もうこれは10年ぐらい前の研究なので、今だったらもっと新しいアプローチができるだろうと思うのですけれども、その辺はご容赦ください。今、箱の中に100個ぐらいの黄色い点があります。1個の点が1個の楽曲を表しています。楽曲の特徴量を計算して、その特徴量によって散布図の楽曲をプロットしています。この中から、何曲かをシステムが推薦すると、じきにシステムが利用者の好みの曲というのはどういう傾向があるかを見つけてくるということを実装しています。図16のオレンジ色が現在再生中の曲に対応します。

図17を参照ください。この曲を気に入ったらイエス、気に入らなかったらノーを押すというふうな形でフィードバックを返すことを何回かくり返すと、システムがこんな感じの曲を気に入る人なのではないかということを類推するようになります。何回かくり返して、気に入った曲はピンク色、気に入らなかった曲は水色とします。できるだけピンク色が固まるような2つの軸を選ぶと、このピンク色の中心にはこの人の気に入っている曲がたくさんあるということになります。ある2つの特徴量を選ぶと、ピンク色ができるだけ固まるところを見つける。そうすると、ここのピンク色の周辺にある曲

を集めてくれば、きっとこれはこの人が気に入っている曲に何かしら共通の特徴がある違いないということで、そこのピンク色が固まっている周りを集めるとプレイリストができる、というようなことをしました。これは、うまくいく場合とうまくいかない場合があって、音楽ジャンルによってうまくいったりうまくいかなかったりするのですけども、ある種の音楽に関しては、かなりうまくいくというようなことがわかっています。実際にやっているのは、10年前の段階で算出可能だった5つの特徴量の中から2軸を選んで楽曲をプロットすることです。そうすると、やはり先ほどの問題と同じように、散布図を選ぶという問題を適用して、できるだけピンク色が固まる、つまり気に入った曲が固まるような、そういう軸を選ぶということによって、その人が気に入った曲と何かしら共通の特徴を持つ曲というものを探しやすくするということ になります。実際にこれを何人かの被験者に試してみると、好みが似ている人と似てない人を見つけることができます（図17参照）。この場合、被験者のAとBは、実際にこのシステムが選んだ2軸が同じ軸で、なおかつピンク色も比較的近いところに固まっているので、AとBは嗜好が似ている可能性が高いです。それに対して、被験者Cは嗜好があまり似てない可能性が高いです。これは断言できないのですけども、そういうようなことがわかったということです。

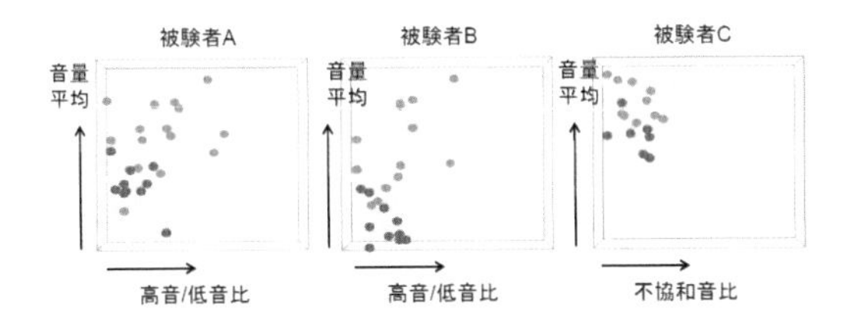

図17　音楽思考パターンの類推

ここまでが、多次元のデータの話でした。次は、時系列のデータの話をします。今日は、時系列のデータは、まだ完成してない研究も紹介いたしますので、ちょっとその辺ご容赦ください。時系列のデータは、多数の標本が時間変化を有するデータであると考えます。ほとんどの可視化手法は、座標軸の横軸に日時を割り当てたもの。棒グラフにしても折れ線グラフにしても、横軸が時間軸になっているようなものを割り当てるか、あるいはアニメーション表示を採用しているかという、どちらかを使って時系列データを表しているものが圧倒的に多いです。我々、コロナウイルスの感染によって、時系列の可視化というのはほとんど毎日のように見るようになってしまいました。図18の左上のような、感染者数の変遷に関する日時を横軸にした折れ線グラフや棒グラフは、時系列データの一種であるということになります。図18右下は僕のGoogleサイテーションの引用数の変化ですけども、このようなものも時系列データということになります。

ここで狭義の時系列データは何かというと、図19のように、n個の個体がm個の時間順の数値を有するものです。折れ線だったらn本の折れ線で。ヒートマップだったらn個の個体が縦に並んでいるというものになります。我々は圧倒的に折れ線グラフで時系列データを見る機会が多く、折れ線は広く普及しています。小学校時代の体重の変化からずっと折れ線を見ております。それから、折れ線の方がヒートマップに比べると正しく数値を読めます。ただ、折れ線がものすごい数になったときに、ヒートマップは画面上の絡まりを生じないので、ヒートマップの方が有利な場合があります。生命情報の方はヒートマップを好んで使われています。例えば、数千個の遺伝子の発現量の時間変化とか、そういうのを見る時は折れ線グラフだと見られたものではないので、そういう場合はヒートマップを使う、ということが知られています。

ヒートマップも折れ線グラフも、どちらも適切ではない例を今日は紹介いたします。まだ始めたばかりで全然完成してない研究なのですけど、同一歌唱の可視化というものです。我々は音楽情報処理もやっているものですから、歌を分析するというプロジェクトに入っています。最近、多数の歌唱者が同じ楽曲を歌唱するというのが流行っています。ボーカロイドが好きな方は、歌ってみたシリーズをYouTubeやニコニコ動画で見ることあるかと思いますが、同じ曲をたくさんの人が、アマチュアの人が歌ってWebに上げることが非常に増えています。そうすると、いろいろ参考になるものがあって、歌唱のテクニックや癖とかそういうものがあって、必ずしも一番上手い人が一番人気を稼いでいるかというと、そうとも限らないわけです。そこで、どんなパターンがあるか分析するということで、今手始めにやっているのが、いわゆる音程とか音高の取り方にどんなパターンがあるかを可視化しようということです。題材として使っているのがダンプというスタンフォード大学のデータベースで、大人数の歌唱を集めたデータがあるのですけど、2000人によるLet it go（アナ雪のテーマ曲）の歌唱が録音されています。それぞれの歌唱者がどのように音程をとったかを折れ線グラフ2,000本で表現すると、ほとんど真っ黒になって視認することはできません（図20の上参照）。

また、今回の場合は歌の周波数が100Hzから500Hzぐらいまであるうちの、1Hz単位の違いがどのように分布しているかを見るので、ヒートマップではそれほとんど読めないということになります（図20の下参照）。折れ線グラフもヒートマップも適切ではなく、代わりの表現は何があるかということで今試しているものが、人数分布を濃淡で表現する手法です。要は、密度が高ければ高いほど濃くなるというものになっています（図21の上参照）。これだけ見ていても、当たり前のメロディーラインが出てくるだけでよくわ

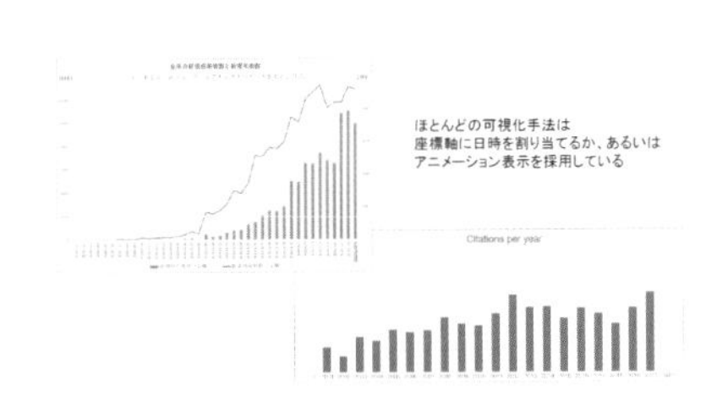

図18　時系列データの例

・n個の個体がm個の時間順の数値を有するデータ

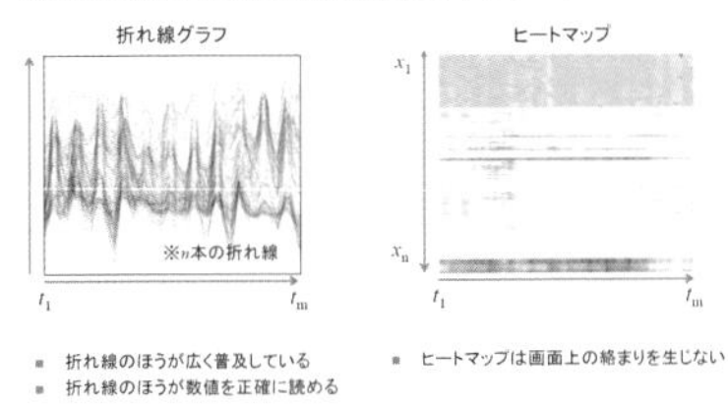

図19　狭義の時系列データ

かりません。ただそれにしても、部分的に面白いところというものがあって、例えば、画像認識によって塊を認識して色分け表示する（図21の下参照）と、例えば1番に、なぜか何人かだけ全然違う音程をとっている人がいるのです。それから2番を見ると、メロディーが下がって上がって、になるのですけど、この下がるのを省略する歌い方をしている人がいるのです。こういう固有の癖やパターンが見つかるということになります。ただ、ここで見つかるものというのは、それこそドレミファソラシドの音階レベルで全然違う音階を歌っている人を見つけていることに過ぎません。要は、例えばドレミファソラシドという音階で見たら同じ音なのだけども、ちょっとだけ高い、ちょっとだけ低いみたいなパターンを見つけたかったら、この可視化では無理で、もっとズームアップして局所的な可視化をしなければいけないということで、今そこの部分を追加で開発しています。ただ、いずれにしても、メジャーな折れ線グラフや汎用的な方法であるヒートマップは不適切なデータというものはこのように存在するので、そういう場合は違う方法を使いましょう、ということはこれからも研究課題としてはアプリケーションごとにいろいろあると考えられます。

多様な時系列データということで、我々は時系列データというと大抵の人がイメージするのは、実数値の時間変化を持つものです（図22の上参照）。例えば音高とか体重とか売上などを縦軸にして折れ線グラフで描けるものが時系列データとなるわけですが、もう少し広い意味で時系列データを捉える

・ 2000本の折れ線はほとんど視認できない

・ ヒートマップでは音高を正確に読めない

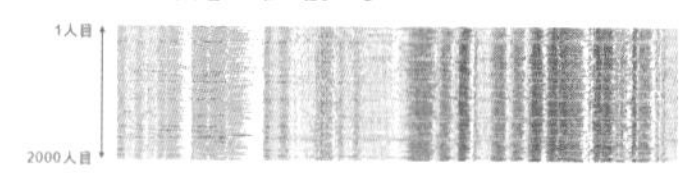

図20　折れ線グラフとヒートマップが不適切な例

・ 人数分布を濃淡で表示した例

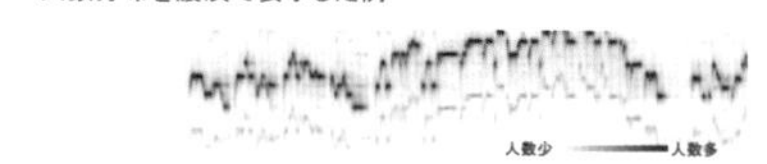

・ 局所パターンを色分け表示した例

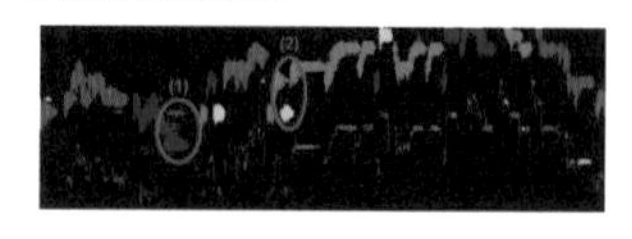

図21　人数分布を濃淡で表示した例（上）と局所パターンを色分け表示した例（下）

と、イベントの羅列というものを時系列データの一種として扱うことがあります（図22の下参照）。我々の可視化コミュニティの中ではこういうものを時系列データとして呼ぶこともあります。こういうものを可視化する例として、我々は楽曲の構造を可視化するということに取り組んでいます。僕は学生の時にクラシック音楽の指揮者をやっていて、自分が学生時代にこんなものがあったらよかったという夢を学生に託した研究です。クラシック音楽の指揮者が持つスコアは何十段も楽譜があって、短い曲でも何十ページになり、読むのが大変です。そこで、楽曲の構造を要約して可視化できないかということで、オーケストラのスコアの、上の方に木管楽器、真ん中の方に金管楽器、下の方に打楽器・弦楽器というこの構造はそのままにして、前半が左側、後半が右側という楽譜の左右の関係もそのまま維持して、それでメロディーがどこに分布しているかだけを色分け表示できればいいというものを、イベントの集合として、時系列データの一種として可視化するというようなことを試みました。みなさん、図23のように可視化されたこの曲はなんだと思いますか。見ても多分わかるわけがないと思うのですけれども。これはチャイコフスキーの「花のワルツ」で、くるみ割り人形の中で一番有名な曲です。7分ぐらいの曲ですが、スコアにすると50ページぐらいあったと思います。これを1枚の譜面に表したというものです。青紫色の旋律が5回出てきますが、オーボエのメロディーが2回目はホルンに移ります。2回目と3回目はほとんど同じなのですけど、ここの部分に1個だけ追加されたものがありま

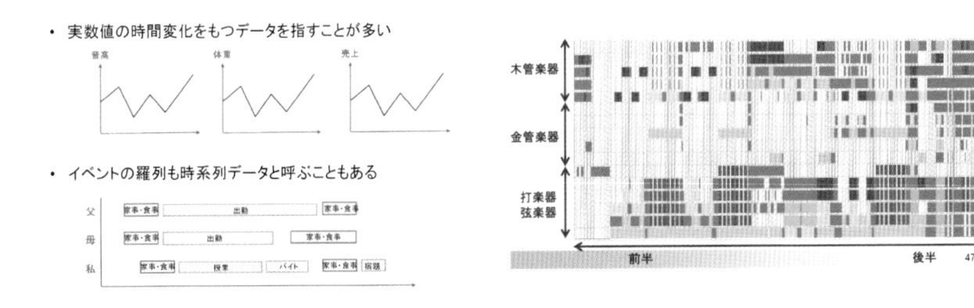

図22　多様な時系列データ

図23　楽曲構造の可視化の例

す。これはフルートの音です。4回目になると、このパッセージがオーボエに移って、メロディーもまた別の楽器に移ってきます。それから最後は、黄緑色で表示された別のメロディーが噛み合って、またメロディーがホルンからトランペットなどに移ります。僕はクラシック音楽の指揮者をやっていた時に、それぞれ1日1時間とか短い練習時間をどう使うかというプランニングに頭を悩ませたことがあって、こういう図があったらいいなというものをそのままの時系列データの可視化の一種として学生と一緒に発表したというようなことがありました。

次に、階層型データの可視化についてお話します。ここでいう階層型データというのは木構造とほとんど同義ですけども、可視化の世界ではノード＝リンク型と呼ばれる可視化と、空間充填型と呼ばれる可視化の2種類が主に使われています（図24参照)。

ノード＝リンク型というのは、点と点を線で結ぶタイプの可視化で、いわゆる木構造をそのまま木で表したようなものです。それに対して空間重点型というのは、階層構造を入れ子にするのですね。お茶の水女子大学の中に学部があって、理学部の中に学科があってという、入れ子の関係というのを、そのものずばり外側の枠、内側の枠という具合にして表現するというようなものです。今日は時間の都合で、空間充填型という後者だけについて紹介をいたします。私は、十数年前に平安京ビューというという空間充填型の可視化手法を発表しております。私は2003年から2005年までIBMに勤める傍

図24　ノード＝リンク型及び空間充填型の可視化の例

図25　平安京ビューによる可視化の例

ら、京都大学の非常勤研究員を務めておりまして、京都大学名義で発表しておりました。元々はデータ要素が碁盤の目のように並んでいるからという理由で平安京ビューと名付けたのですけども、京都にちなんだ名前ということも含めて平安京ビューと名付けました。図25左のように、入れ子の枠で階層構造を表現するということになっています。しかも図25右のように、斜めに表示すると3次元の棒グラフになりますので、色と高さで2つの値を同時に表現するというような使い道もあります。

その中でもアプリケーションとして今日紹介したいのは創薬用化合物データの可視化で、京都大学の薬学部との共同研究です。図26をご覧ください。創薬の実験期間を短縮することは非常に大きな課題です。今もコロナウイルスのワクチンなどで実験期間短縮というのは非常に大きな命題だと思います。そのために重要だと聞いたのが、実験結果を予測することです、予測するということは、あらかた仮説を立てられるので実験のはずれが減るということになります。それによって、いわゆる探索と呼ばれる薬に使える化合物を特定する期間をぐっと短縮できるということになります。今はディープラーニングなどを使って力技で解ける話ですが、共同研究をやっていた当時の10年以上前はそれができなかったので、構造的な特徴で化合物を階層化しまし

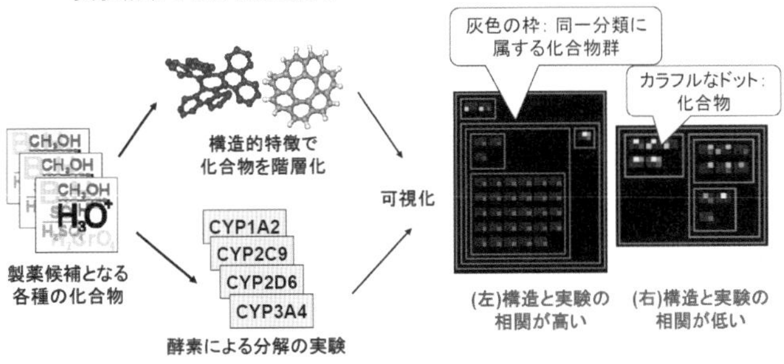

図26　創薬用化合物データの可視化

た。例えば何々原子が何個あるとか、何々管が何個あるとか、そういう構造的な特徴で化合物を階層化しています。それと同時に酵素による分解の実験の結果、雑な言い方をすれば、唾液で溶けるとか、胃液で溶けるとか、そういう類のものを使っています。図26の右側が可視化したものですが、構造的特徴で化合物を分類した結果が枠の中に入っていて、酵素による実験結果が色で表現されています。可視化結果の読み方ですが、枠の中が同じ色であれば、これは構造的な特徴と実験結果に相関があることになります。枠の中の色がばらばらであれば、逆にこれは構造的特徴と実験結果に相関がないことになります。ということは、できるだけ化合物の実験結果を予測して仮説を立てやすいようにするには、図26右の左側のような可視化結果（相関がある結果）が出るような構造的な特徴をどうやって見つけるかという問題に帰着されるわけです。そうは言っても、単に色が、エントロピーが低ければそれでいいかというと、単純にそうとも言い切れないので、本当にこの構造的特徴はよい特徴なのかどうかというものを専門家が見て確認するための可視化を併用するために、実際にこのような可視化のシステムを作りました。京都大学の薬学部の先生との共同研究の成果として実際に製薬会社に納品されています。実際どれぐらい役立ったのかというのは、製薬会社の機密情報なのであまり詳しいことを教えてくれないので、納品しましたと言っても、本当に役立っているのかはわからないのですけども、いずれにしても企業の方からはそういう評価をいただいております。

他のアプリケーションでは、写真のブラウザがあります。写真を見ることで自分の人生を振り返る、すなわちライフログとしての写真を活用するという研究を紹介させていただきます。写真は、旅行やイベントのたびに蓄積されていきます。みなさんは、仮に1週間ぐらい旅行に行ったりしたら、写真を何枚ぐらい撮られますか。僕はコロナ禍になるまでは、年に7〜8回海外出張に行って、プラス国内出張も結構何回もありましたが、1年間で撮っている写真の量は大変なことになります。例えばiCloudを無料で使っていると、1年もすれば容量オーバーになってしまいます。それぐらい写真を撮っていると、どうやって写真を探すかというのは昔は大変だったわけです。ごく最近になって、スマホの写真のアプリもすごく賢くなってきましたが。では、どうやって写真を探せばいいかというと、いつ・どこで・誰と、という3点に基づいて探せれば、写真を楽しく回想できるのではないかということで、これも10年ぐらい前の研究なのですけども、学生がアプリを作りました。この学生も、学生のうちから本当にいろいろな海外に行った学生ですが、まず世界地図に沿って写真を並べています（図27参照）。

ここには、それぞれの旅行やそれぞれのイベントに対して、1枚ずつ代表写真が載っています。この代表写真をズームアップすると、図28のように、代表写真に関連する旅行やイベントの1枚1枚の写真が表示されます。代表写真と、代表写真を拡大して1枚1枚の写真が表示されるこの構図が、実は先ほどの平安京ビューと同じ構図になっています。つまり、大きな写真で囲まれたものというのが1個の枠に置き換えられて、その枠の中にそれぞれの写真が入っているという、先ほどの平安京ビューと同じ構図です。写真は2次元で配置されているように見えますけれども、実はこれを回転すると3次元になっていて、2004年から2009年までの6年間でこの学生が行った写真の場所と日時をすべて表しています。このようなアプリを作りましたが、そうすると、いつどこに行ったかというような尺度から、そういえばこのイベントがあった、あのイベントがあったというように人の過去を振り返られるというアプリケーションです。今はスマホのアプリも賢いので、こういうも

図27　世界地図に沿って並べられた写真

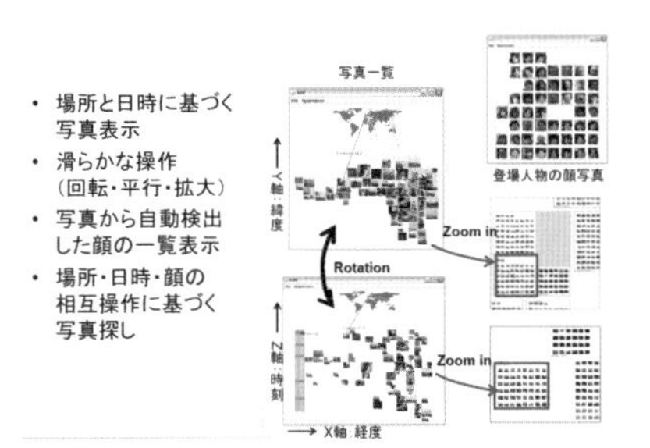

図28　図27の画面のズームアップや回転の様子

のを作らなくてもできますが、昔はこういうアプローチが最新だったということになります。やっていることは、場所と日時に基づく写真の表示で、緯度と経度がXYで時刻がZというような形のいわゆる時空間表現ということになります。滑らかな操作による回転・平行・拡大で、特にズームインをすると先ほど見せた平安京ビューという階層型データの可視化の構造が見えるということになっています。その後バージョンアップして、写真から自動検出した顔というものを一覧表示して、場所と日時と顔の3つの要素を相互にインタラクションすることで、その時自分が振り返りたい写真を探すことができるという機能も追加しています。ここでは写真配置を最適化する問題も解いています（図29参照）。互いに重ならない、不必要な隙間を作らない、地図上の位置に近づける、という3つの条件をできるだけ全部満たす配置を、最適解でなくても局所解でもいいからコンマ何秒で解けるようなアルゴリズムを発表して、それを搭載しているというようなことになっています。

最後に、ネットワークのデータの可視化について紹介します。図30は8つの個体がリンクで結ばれているデータです。おそらく、ネットワークデータの9割以上の可視化は、この図のように点と点を線で結ぶノード＝リンク型の可視化で表現されています。他にも表現があることはあるのですけど、今日は省略させていただいて、いわゆるグラフといってみなさんが連想するこういう表現を扱います。グラフの可視化およびネットワークの可視化

[入力:] 写真群＝任意形状の長方形
[処理:] 以下の3条件を満たすように各写真の位置を確定する
- 互いに重ならない
- 不必要な隙間をつくらない
- 地図上の位置に近づける

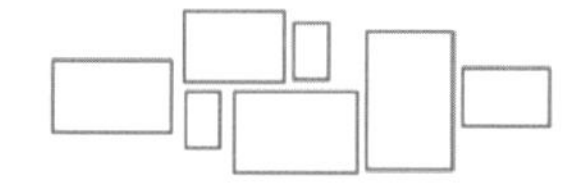

図29　写真配置の最適化

で、可視化の良し悪しというのは、何といっても点の配置をどうするかというような問題になります。図30は8人の人物の友人関係を線で結んでいて、左右の図の接続構造は全く同一ですが、どっちが見やすいかと言われて左を選ぶ人はまずいないと思います。右を選ぶ理由というのは、やはり点と点の距離が程よいとか、線の長さが程よいとか、線の交差が少ないとか、いくつか条件がありまして、その条件を満たすような配置結果を自分で想定して手描きした結果になっています。逆に言えば、いくつかの条件をできるだけ全部満たすように配置結果を最適化する何らかのアルゴリズム、あるいはその最適に近い解を求めるヒューリスティックを導入して、何かしらの数値計算をするということによって配置を求めるということになります。いろいろな手法があるのですけれど、今日はちょっと割愛させていただきます。データが大きくなると、1個1個の点を個々の点として配置すると、線が多過ぎて、点が多過ぎて、全く視認性、可視特性のないデータになってしまいます。そこで大きなデータの場合というのは、点のグループ、クラスタを作って、クラスタを画面配置するというような考え方が使われています（図31参照）。先ほどの階層型データを、例えば平安京ビューという方法で点の集合を枠で囲むというアプローチを解きましたが、それと考え方が共通していて、点の集合を塊として表現する形になっています。図31の左下の図の部分です、円の集合が線で結ばれているように見えますけれども、実は左上のように、線の集合であるということになっています。このようにクラスタを作る、つまりクラスタリングのアルゴリズムを上手く選択すると、アプリケーション

- 各個体間がリンクを有するデータ
- 点と線を結ぶ「ノード=リンク型」の可視化が多い
- 点の配置が可視化結果の良し悪しを大きく左右する

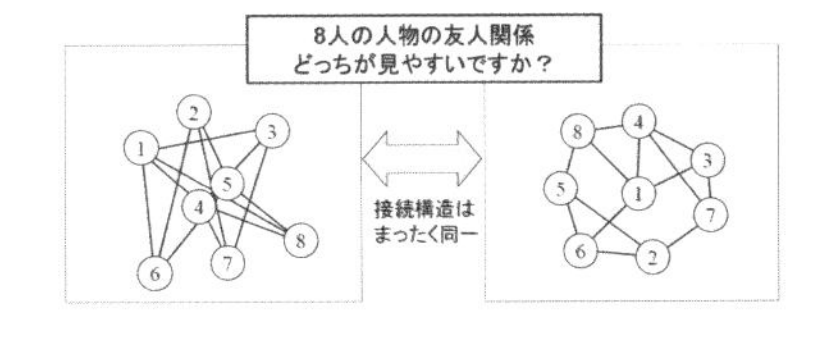

図30　ノード=リンク型の可視化の例

- 点のグループ（クラスタ）を画面配置する

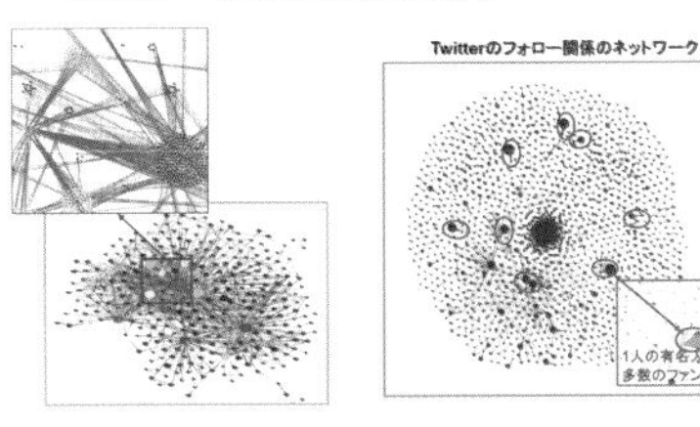

図31　階層型ネットワークデータの例

に合致した現象というものが見られます。例えばTwitterのフォロー関係のネットワークを可視化したときに、敢えていわゆる中心性の高いノードができるだけクラスタに巻き込まれないようにして、そのセントラリティの高いノードに隣接するノードだけをクラスタリングするという特殊なクラスタリングをすると、1人の有名人が孤立した点になって、それの周りに大きなクラスタができます。クラスタを構成するファンの人たちが互いに面識あるかどうかわからないですけが、とにかく、このインフルエンサーのファンの集団ということだけはわかる、となります。こういうクラスタリングを施すことによって、Twitterのフォローとフォロー関係の中にインフルエンサーとその取り巻きがいるというような関係が可視化できる、というようなことを発表しております。

それから、もう少し違うアプリケーションとして、遺伝子の情報可視化への適用について紹介します。図32をご覧ください。動物には数千から数万種類の遺伝子があるので、どんな遺伝子があるかを分類することで、病気の解明、創薬のための治験、生物進化の解明などにつながります。これもだいぶ前の話で、今はもっと他にも情報があると思いますが、当時、遺伝子実験のための主要な情報として、昔から生命情報の分野で有名な指標である発現率と相互作用を使っていました。発現率は、刺激等に対して各遺伝子がどのように反応するかというものです。相互作用は同時に機能する複数の遺伝子を線で結んだものということになります。図32の下のイラストを見てい

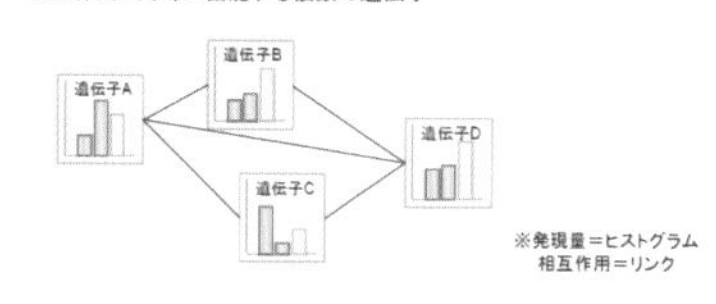

図32　遺伝子情報について

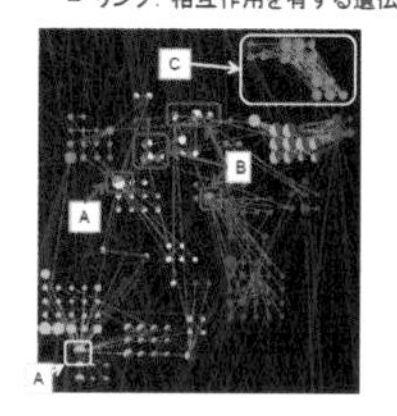

図33　遺伝子の「発現率条件＋相互作用ネットワーク」の可視化1

ただくと、発現量、発現率と呼ばれているものが棒グラフで表現されていて、遺伝子と遺伝子を線で結んだものが相互作用ということになっています。どういう可視化をしたかということですが、遺伝子に対して発現率に関する条件を何種類か設定して、どの条件を満たすかによって、遺伝子を色分けすると。相互作用を線で結ぶということにして、発現率と相互作用の関係が、うまく表現されるようなアルゴリズムによって点の位置を決めるというようなことをしました（図33参照）。具体的には、色が似ているものはできるだけ近くに配置し、線で結ばれているものはできるだけ近くに配置する、というものです。これは、相反するかもしれないし、同じ条件かもしれないし、ということで、どちらなのだかわからない2種類の条件を、同時に配置のための制約条件として解くというようなことをしました。そうして配置を得られた結果が図33になります。このような結果から何がわかるか、ということですが、Aのようにリンクがたくさん張られている多くの相互作用を有する遺伝子は、いろいろな遺伝子と同時に機能するということで、お友達の多い遺伝子となります。これが位置付けがわかりやすい場所に配置されています。Bは多機能な遺伝子で、色がたくさんある遺伝子です。これは配置には直接関係ないのですが、これがきちんと存在がわかります。それからCが実は重要で、孤立しています。他の色が付いた遺伝子と関係がなくて、この2種類の遺伝子の条件は相互作用によるリンクと非常に深いつながりがあって、この2種類の遺伝子だけが他の遺伝子から孤立しているということがわかります。こういう関係を発見することは非常に重要で、例えばAやBのような遺伝子は、この遺伝子を殺してしまうと生命の維持に関わる可能性があるので、特に大切にしなければいけないという知見があります。それからCのような遺伝子は、相互作用と発現率の間に非常に強い相関があるので、発現率から相互作用を導く、相互作用から発現率を導く、という過程において、お互いの実験の例えば誤検出のようなものを見つけるとか、そういうような目的でCのような知見というのが重要かもしれないということがわかります。それから、図34のDとD′、EとE′、FとF′は、すべて発現率の条件は同じように満たしますが、あまり一緒に作用しません。

つまり、同じ色が付けられているのにリンクが少ない2グループの遺伝子群であるということになります。発現率の条件が同じなのに相互作用しないということは、共著者の遺伝子の専門家に聞きましたが、現時点ではわからないということで、ひょっとしたら遺伝子の条件というのをもう少し細分化しないといけないのかもしれない、というようなことが議論されて然るべきなのではないか、ということになります。このような発現率の条件を研究している人にとって、研究のネクストステップを導くヒントになるかもしれない、という可視化になっているということです。実際にどうやっているかということですが、図35のように、同じ色のノードをできるだけ近くに配置すること、リンクの線ができるだけ短くなるあるいは交差の数ができるだけ少なくなること、画面上での面積を節約して無駄な隙間を作らず同時に互いに重ならないこと、計算時間を短いこと、などいろいろな条件をできるだけ同時に、ほどよく満たすにはどうしたらいいかということに対して、一定のヒューリスティックスを持って解いているということになります。具体的には、ノードとリンクの間にバネとか分子間力と言われる、物理や化学の高校の授業で出てくる力学のモデルを適用して、ざっくりとした配置を解いて、それを互いに修正する2ステップ目の配置アルゴリズムをさらに適用するという、2段階のアルゴリズムを組んでいますこれで、計算時間を低減しつつ、この条件をなんとなく満たす、局所解にすぎないかもしれないですけどもそこそこによい配置結果を得る、ということをやりました。

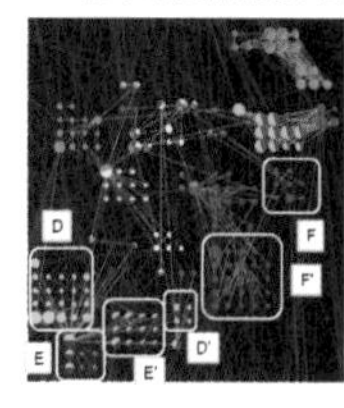

図34　遺伝子の「発現率条件＋相互作用ネットワーク」の可視化2

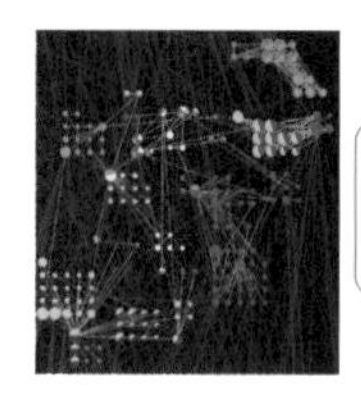

図35　ノードの配置方法

ここでまとめさせていただきます。今日は、人はなぜデータを眺めるのかというようなお話を最初にしました。気になる視覚表現と、照合する前提知識、これを合わせることによって何かを発見する情報を理解するという話をしました。それから可視化は何に使うのか、という時に、OCHAの4つの頭文字で説明できるのではないかというモデルを提唱しました。あとは、データ構造で可視化を分類するということで、4種類のデータ構造を基準にして手法を紹介しました。今日の講演内容は図36の書籍にも詳細がございますので、もしご興味のある方いらっしゃいましたら検討していただければと思います。どうもありがとうございました。

意思決定を助ける 情報可視化技術
- ビッグデータ・機械学習・VR/ARへの応用 -

1. 情報可視化の定義・歴史・展開
2. データ構造と情報可視化手法
3. 情報可視化の操作と評価
4. 視覚特性から考える情報可視化デザイン
5. 情報可視化の適用事例
6. ビッグデータと情報可視化
7. 機械学習と情報可視化
8. VR/ARと情報可視化
9. 情報可視化の研究開発の展望

図36 「意思決定を助ける情報可視化技術」の書籍について

2

i.schoolの
イノベーションワークショップにおけるチームワークの可視化

講演者：堀井秀之先生

i.school エグゼクティブディレクター
(一社)日本社会イノベーションセンター 代表理事
東京大学 名誉教授

主催
神戸大学大学院工学研究科グラフィクスリテラシー教育研究センター

共催
(一社)日本社会イノベーションセンター
イノベーション教育学会
日本図学会関西支部
神戸大学V.School

協賛
(公社)化学工学会SIS部会ダイナミックプロセス応用分科会

データビジュアライゼーションの手法のユーザーとして、複雑な現象を理解するために、いろいろな情報を可視化するということは日々努力していることなので、そういう意味では、こういう分野でみなさまが研究を進められるということは本当に意義が深いことだと思いますし、どんなニーズがあるのかということをここでお話するかたちで少しでも貢献できたら幸いです。

本日は「i.schoolのイノベーションワークショップにおけるチームワークの可視化」というタイトルでお話しします。私たちが日々やっているデータのビジュアライゼーションをモデル的に表現してみると、図1のようになると考えています。i.schoolのワークショップを計測して、それをグラフなどで表現するには、まず最初にこうやったらいいのではないかという仮説を形成し、その仮説を実際試してみて検証し、結果を評価します。きちんと実際の複雑な現象が適切に表現されているかどうか、知りたい情報や理解を深めるような情報がきちんと表示されているのかどうかを評価して、もう1回仮説形成に戻り、このループをぐるぐる回して、日々、試行錯誤しているところです。

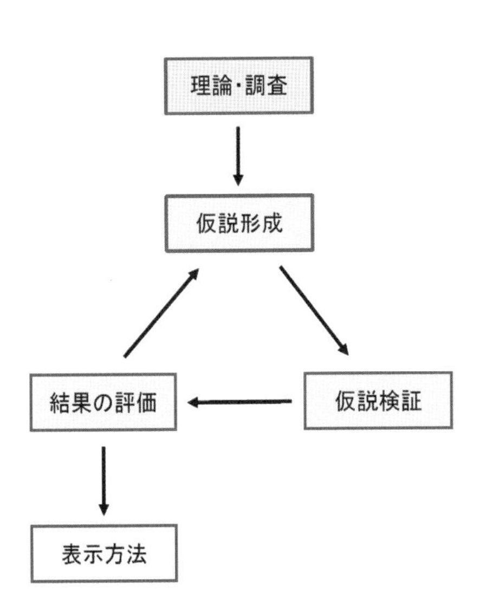

図1　データビジュアライゼーションの方法論

普段あんまり意識していないですけれども、人は仮説を形成するときに、どのような表現で事象を理解するのかということをいろいろ考えたり調べたりしながら仮説を形成しているので、多分その仮説形成の背景としては、何らかの理論や調査結果があるのだろうと思います。図1にあるようなループを回して、うまくいったというときは、実際の表示方法としてこういう表示をするのがよいということで図1の一番下の「表示方法」に至るわけです。その過程を通じて、データビジュアライゼーションに関する理論とまではいかなくても、何らかの知見を得て、それを図1の上のピンクの「理論・調査」のところにフィードバックするかたちで、知見を蓄積していき、次の仮説形成のときに役立てているということを人は日々やっているのだと考えた次第です。

では、i.schoolで具体的にどのようなことやっているのかお話する前に、まずi.schoolそのものをご理解いただくことも必要ですし、i.schoolでやっているイノベーションワークショップついてもご理解いただくことが必要なので、少しそのあたりについてご説明します。i.schoolは2009年に東京大学ではじまったイノベーション教育プログラムです。新しい製品サービス、あるいはビジネスモデル、社会システム、ありとあらゆる新しいアイディアを生み出す力を育てようということで、大学生に対して、人間中心イノベーションに基づいて、グループワークによるワークショップ型の教育をやってまいりました。工学部の学生や、法学部の学生とか経済学部の学生とか、理系文系含め、ありとあらゆる分野の学生が異なるバックグラウンドを持って、共同して新しいアイディアを作るということをやってまいりました。単位も学位も出さないのですけれども、幸いにして優秀な学生が集まってきてくれて、今年でちょうど11年経ったところです。

2016年には、日本社会イノベーションセンター（JSIC）という一般社団法人を立ち上げて、アイディアを生み出すだけでなくて、それを社会実装しようと取り組んでいます。i.schoolでは社会的課題の解決というところにフォーカスが当たっているので、行政、政府と民間企業と、それからi.school生が一緒にワークショップを実施し、社会イノベーションの実現に向けて、共同作業します。それを通じてi.school生は、実践的な教育機会を得ることができます。2018年に私は東京大学を退職して、今はJSICのもとでi.schoolを運営しているということであります。

この11年間にどんな問題意識を持ってやってきたかということを簡単にご紹介します。よく0→1、1→10、100をつくる、つまり、アイディアがないところからアイディアを作り、アイディアを事業化するということがよく言われます。0→1と1→10、100は、二つに分けて語られることが多いです。世の中にはアイディアを支援する、事業化支援のプログラムは数多くありますが、この0→1の部分を支援するプログラムはあまりありません。1を10にし100にする、すなわち事業化して、スケールアウトすることがなかなかうまくいかないのだということをよく聞きますけれども、やはりアイディアが大切だと思います。0→1の部分が良くないと、悪いアイディアをいかに支援しても、それが事業化できるわけないのではないでしょうか。事業化できない一つの原因はアイディア、コンセプトが優れてないのではないかなと考えて、i.schoolを始めました。i.schoolでは、0→1の部分のアイディア創出、それからそのアイディアを事業化する、1を10にし100にする部分との二つで、合わせてイノベーションワークショップと呼んでいるワークショップをしています。そして、アイディア創出の部分を主に担当するのがi.schoolで、JSICがアイディアの事業化部門を担当しようと考えています。

イノベーションワークショップとは、新しくて有効なアイディアを生み出すグループワークです。どうすればイノベーションワークショップの質が高まるかということを、11年間考えてきました。イノベーションワークショップの質といったときに、そこで生み出されるアイディアの質を高めることと同時に、これは教育プログラムなので、いろいろなワークショップを経験することによって、スキルセット、マインドセット、モチベーションを身につけてもらおうと考えています。次に、その教育効果の質をどうやって高めるのかということがあります。イノベーションワークショップというのは、チームあるいは組織の質を高めるという効果もあって、組織としてのアイデンティティを築くとか、チームとしてのマインドセットを高めるとか、そういう組織開発というような意味合いもあるものだと考えておりまして、その質をどうやって高めることができるのかということを考えてやってきました。

i.schoolの特徴は、人間の創造性に関する学術的知見に基づいてワークショップのプロセスを設計するというところにあります。1950年代から、認知心理学とか脳科学とか人工知能研究という分野で、人間の創造性について中心課題として研究されてきて、それらの知見に基づいて、ワークショップのプロセスを設計しようとしています。もう一つは、ワークショップを計測して分析することによって知見を蓄積し、ワークショップの設計やファシリテーションに活かそうと考えています。この連続セミナー「グラフィカルな表現法による複雑現象の理解」との接点は、後者であると思います。実際やっているワークショップから、いかに可視化して得たい情報を得るかというところだと思います。

11年間振り返ってみると、最初はワークショップのプロセス設計というところにかなり力を費やして、アイディア発想を支援する方法論を構築しようということをやってまいりました。それが一通りかたちになってきて、アイディアを発想した後のワークショップの後半が重要であるということに気づきました。当然のことなのですけれども、ワークショップの後半ではアイディアの評価とその方法、評価する能力が求められます。そして、試行錯誤を繰り返します。アイディアの評価をいかに効率化するか、いかに最適化するか、そういう試行錯誤の方法を構築するということをやってきた中で、PDCAサイクルを適切に回すということが重要だということが、最近の課題です。そして、チームワークモチベーションはとても重要になります。

i.schoolでは目的と手段という言い方をしています。要するに生み出すものは手段であって、手段というのは、目的を果たす方法ということですから、どういう目的を果たす手段なのかというのが重要なわけです。問題解決ということであれば、問題を解決するという目的を果たす手段が解決策であるということになります。Google検索は、情報提供という目的を果たす手段であって、目的ではありません。そう考えると、イノベーションワークショップは、新しくて有効なアイディアを発想する、生み出す手段。i.schoolは、日本や社会を変えるような人を育てる手段であるということになります。そうすると、製品もサービスも社会システムも全て手段と捉えることができます。データビジュアライゼーションというのももちろん手段であって、その目的は、データから複雑な現象を理解するための情報であるとか、ワークショップの設計をより良くするための情報などを得る手段です。このように一般化することによって、例えば製品に対するワークショップというものがビジネスモデルに対するワークショップに使うこともでき、対象に限らず方法論を一般化できるメリットがあるわけです。

図2は多くのワークショップを観察し、分析し、研究して作り上げたイノベーションワークショップのプロセスの標準モデルです。目的に関する情報処理をし、それから手段に関する情報処理をして、両方を踏まえてアイディアの発想をします。それを精緻化したりプロトタイピングしたり提案したりということに至っていきます。実際のワークショップはこんなに綺麗に一直線に進むわけでは当然なくて、試行錯誤を繰り返します。プロセスを行ったり来たりするのですけれども、基本的にはこのような構造に従ってワーク

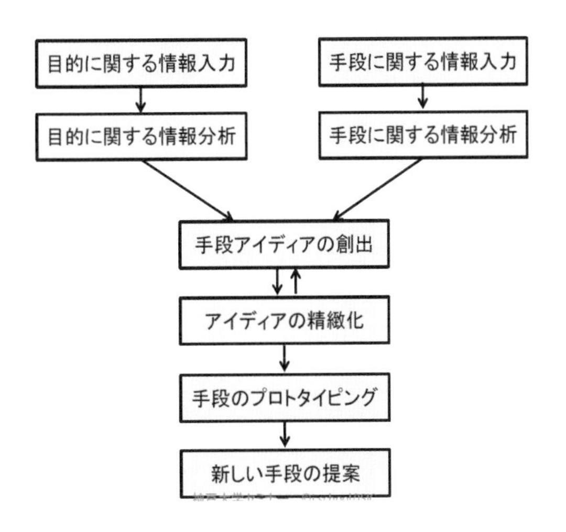

図2　イノベーションワークショップの標準モデル

ショップを行っています。このモデルを使うことによって、ありとあらゆるアイディア創出ワークショップを説明することができますし、ワークショップを設計するときにもこのモデルを使って設計することができます。

この中で、もちろん一番重要な部分はアイディアの発想、アイディアの創出という部分であります。アイディアの創出のための思考というのは、第3の推論、演繹的推論や機能的推論に並ぶアブダクションと呼ばれる、推論思考であると言われています。アブダクションというのは、いろいろな局面で出てくる思考パターンですけれども、目的を果たす手段を思いつくという思考はアブダクションです。これを手段と目的の関係で説明しますと、例えば図3の左側の手段が与えられると、その手段がどういう目的を果たすのかというのは、論理的に考えることができる。ですから、左から右の写像というのは、演繹的推論で導かれるというものであります。例えば、傘をさしたら雨に濡れない。雨に濡れないという目的を果たす手段が傘であるということです。雨が降ってきたときに、傘をさすとなぜ雨に濡れないかというのは論理的に説明できて、その思考の過程というのはすべて意識に上っているので、どうしてそのように考えたのかは、逐一説明することができるわけです。ところがアブダクションというのは、この反対です。逆写像であって、ある目的を果たす手段を思いつく。雨が降ってきて、傘がないのだけれど、どうしたら雨に濡れないですむかということを考える。手にかばんを持っていたら、

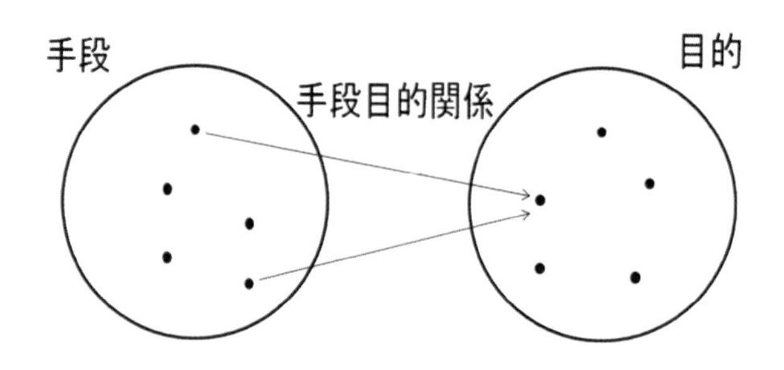

図3　アイディア出しにおけるアブダクション

かばんを頭の上に乗せるとか、雨宿りするとか、出かけるのをやめるとか、手段を思いつくわけです。思いついたときに、その手段は、論理的に演繹的な推論で出てくるのかというとそうではなくて、よく言われる思いつき、直感、発想というものです。それがアブダクションという思考であって、その思考のプロセスというのは意識にのぼらない。したがって、そのような意識にのぼらない思考をどのように支援したらよいのかということが、i.schoolでの課題になるわけであります。

1950年代から人間の創造性に関する学術的な知見が積み重ねられてきたということは申し上げましたが、人工知能研究では、あらゆる人間の創造的な活動をコンピュータでシミュレーションをすることを通じて人間の創造性を理解するということが行われてきたわけであります。絵を書くとか、音楽を作るとか、小説を創造するということまで含めて、あらゆる人間的な創造的な活動がコンピュータでシミュレーションされてきました。Margaret A. Bodenはそうした膨大な人工知能の研究を踏まえて、人間の創造性は3形態に分類できるということを言っております。Combinational creativity（組み合わせ型創造性）、Exploratory creativity（探索型創造性）、Transformational creativity（変換型創造性）の3つです。Combinational creativityが一番わかりやすくて、組み合わせによる創造性のことで、アナロジーによる創造性もCombinational creativityで、単にバナナとボート、掛け合わせるとバナナボートになるというようなことです。こういうような知見に基づいてワークショップを設計していこうというのが、i.schoolでやっていることです。

実際いろんな組織、いろんな機関が行っているアイディア創出ワークショップを観察し分析してみると、新しさを生み出す仕組みというのが、ワークショップのプロセスの中に埋め込まれています。見つかった順番に、その新しさを生み出す仕組みというのを書き出してみると、以下の9項目が見つかりました。

1) 他者を理解する
2) 未来を洞察する
3) 概念を明確にする
4) 思考パターンをシフトさせる
5) 価値基準をシフトさせる
6) 新しい組み合わせを見つける
7) アナロジーを活用する
8) 想定外の使い途から目的を発見する
9) ちゃぶ台返し

当然この9項目を超えてたくさんあるのですけれども、いつもこの仕組みを説明するときには5番目の「価値基準をシフトさせる」仕組みについて説明しています。イギリスの美術大学、ロイヤル・カレッジ・オブ・アートが毎年i.schoolのためにワークショップを提供してくれています。最初、製造業の未来というテーマでワークショップをお願いしたところ、東京にやってきて秋葉原に行って、冷蔵庫と掃除機とヘアドライヤーとCDプレーヤーとプリンターを買ってきました。1台ずつ各チームに配って、それを分解しろという課題を出して、学生は一生懸命分解する。その上で部品をきれいに並べて、それぞれどういう機能を果たしているかを説明しろということを言われて説明する。その上で、サステナビリティに関する講義をして、資源は有限だとか、環境は有限だとか、エコは重要だとかいう話をして、既存の工業製品というのはサステナビリティという観点から受け入れられるのかという質問する。想定する答えはアクセプタブルではないという答えなのですけれども、そうだとしたら、「同じ機能を果たす、新しい製品を考えなさい。」「同じ機能を果たすのだけれども、サステナビリティという観点から照らして、優れた製品を考えなさい。」ということで、やっと本番のワークショップがスタートします。このワークショップで、例えば、ヘアドライヤーは電気を使って温風で髪の毛を乾かすわけですけれども、何も電気を使って温風で乾かさなくてもいい。例えば吸水性の高い材料を探してきて、髪の毛を乾かす方法を考えるということができる。こうやって新しいアイディアが生まれてくるのですけれども、それは先ほどのこの新しさを生み出す仕組みで言うと、「価値基準をシフトさせる」。すなわち、既存の工業製品が効率性とか経済合理性でできているとすると、その価値基準をサステナビリティという価値基準にシフトさせることによって新しさが生まれる、というように説明することができるわけであります。それは、Margaret A. Bodenの3形態で言うと、3つ目のTransformational creativityということに該当します。Transformational creativityというのは、法則であるとか、前提であるとか、常識であるとか、あるいは価値基準であるとか、そういうものをシフトさせる、変えることによって生み出される創造性です。絵画の例でいうと、ピカソが人生の中で何回か絵の描き方を大きく変えています。青の時代があったり、キュビズムに走ったりする。そういう根本的な転換、変化というものはTransformational creativityにあたります。それと比べると、Exploratory creativityという2つ目のものは、モネが晩年、蓮の絵を描き続けたように、あるいは芸術家が作っては壊し、作っては壊すように、既存の枠組みの中で、まだ行っていないところ、まだ到達してないところを探して、新しい表現を追求する。新しいアイディアを追求する。それがExploratory creativityというものだと考えられます。

ここまででお話したようなことに基づいて、ワークショップを設計します。新しさを生み出すアプローチをi.schoolでは大きく分けて以下の6つほどのアプローチを組み合わせて、テーマに応じてワークショップ設計しています。

- 未来探索アプローチ
- エスノグラフィックアプローチ
- エクストリームユーザーアプローチ
- アナロジー思考アプローチ
- ニーズ×シーズ（テクノロジー）アプローチ
- バイアスブレイキングアプローチ

i.schoolではAPISNOTEという電子付箋ツールを使ってワークショップをします。通常はポストイットを使って、模造紙の上にポストイットを貼っていくというようなことでワークショップやることが多いのですけれども、i.schoolではそれを電子化して、図4左にあるように、ワークシートにノートを作成していくということで、例えばこのワークショップの場合は、左側でニーズの分析を行っています。エクストリームユーザー、エクストリームケースという極端な事例、未来の予兆のような人を探してきて、それを分析することによって、未来の当たり前、あるいは未来のユーザーがどういうニーズを持っているかということを①で明らかにして、次に右側の②活用可能なテクノロジーの分析で、世の中にある旬なテクノロジーを挙げていって、未来のニーズに応えるために、どのように活用できるかという分析をしています。その後に、①と②を掛け合わせて、アイディア発想を真ん中でするというような形でワークショップを行っています。図4はニーズ×テクノロジーとエクストリームユーザーアプローチの2つを組み合わせて行うワークショップで使うワークシートのフェーズです。

このようにやっていくと、たくさんアイディアが生まれてくるので、それからアイディアの共有・評価を行います。そのために、例えば、図4右にある評価マトリックスというワークシートを使って、左側の赤い電子付箋に各自のベストのアイディアを並べ、上に評価基準を緑の電子付箋で挙げ、一つ

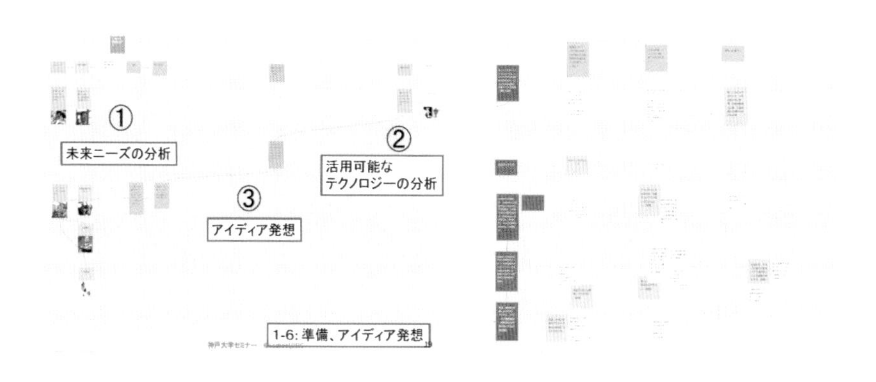

図4　APISNOTE

ずつ順番にグループの中で紹介し、ポジティブなコメント、あるいは改善に資するコメントをグレーの電子付箋で挙げていきます。そのチームの中でどのようなアイディアが生まれているのか、それに対してみんながどのような評価基準を持って評価しているのかということを俯瞰的に見ることができるようになります。その上で、これからアイディアを絞っていこう、グループのアイディアを選んで発表しようということになるのですけれども、通常は1回これをやったぐらいでは、良いアイディアはなかなか出なくて試行錯誤をすることになります。

図2で示したイノベーションワークショップのプロセスの標準モデルという意味でいうと、「手段アイディアの創出」より上が前半部分、「手段アイディアの創出」より下は後半部分で、後半部分は試行錯誤を行うので、目的分析に戻ったり、手段分析に戻ったり、アイディア発想をやり直す、そういうことを繰り返していくわけであります。後半の試行錯誤を適切に行うためには、PDCAサイクルを回すことがすごく大切です。イノベーションワークショップにおけるPDCAサイクルとは何なのかと考えると、図5の右上の「ワークショッププロセスのデザイン」を行って、右下の「アイディア発想の準備」というところで、目的分析、手段分析を行い、「アイディア発想」

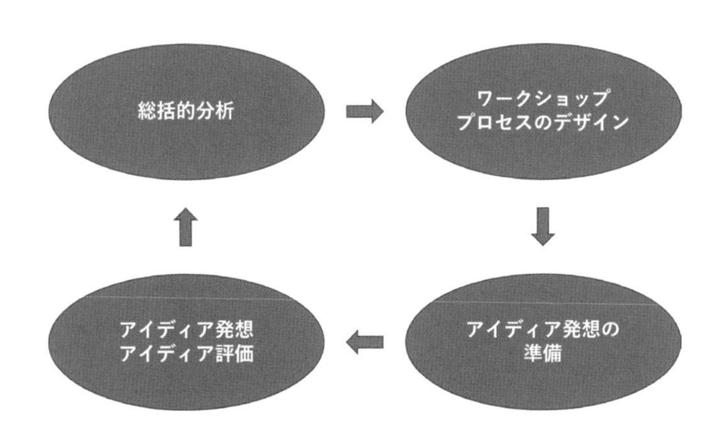

図5　ワークショップにおけるPDCA

「アイディア評価」をして、「総括的分析」を行う。良いアイディアが出ているのか分析してみて、出てないとしたら、なぜ出てないのか、どの部分をやり直すべきなのかを検討して、次の2回目のサイクルのプロセスをデザインし、2回目を回す、3回目を回す、というように繰り返すことによって良いアイディアが出てくるようになります。

総括的分析では、「満足できるアイディアはあるのか」「ないとしたらどこに問題があったのか」「短い時間しかないけれどどこをやり直すべきか」という3つの論点で議論し、結論を挙げていきます。そうすることで、次はどうするべきか、ということが決まって、次はアイディアの精緻化に移っていくというようなことをやるわけであります。APISNOTEを使ってワークショップのやることの良い点は、全てデジタルなので記録が残ります。その記録をCSVのファイルに吐き出すことができるので、それを、あるワークショップであるチームの全ワークシートを読み込み、APISNOTE Activity Viewerを使うと、図6上のように時間が経つにつれて、どのワークシートを使って、どのぐらいのアクティビティがあったのかということがわかります。新しいノートを作成するとか、ノートを動かすというアクティビティの数を、単位時間あたりの活動数という形でヒートマップに表しています。一体いつ、どのワークシート使ったのかということが見て取れるようになります。このデータから、あるチームの進行プロセスというのを可視化することができます（図6下参照）。ワークショップは全部で9回あって、1回目に目的分析をして、手段分析をして、アイディア発想し、2回目にまた目的分析に戻り、手段分析を行って、3回目にアイディア発想、アイディア評価をして、総括的分析を行い、次にまた目的分析に戻って、アイディアの精緻化を行い、中間発表を行っています。このチームは中間発表で、すごく良い評価を得て、本人たちもすごく良いアイディアが出たと思っていたのですけれども、その後にフィールド調査を行って、仮説検証を行って、そこでもすごく良い反応で、これで発表したらよいのではないかという意見が半分、いやせっかく時間があるのだからもう1回やり直してみようよというのが半分。散々議論して総括的分析を行って、もう1回やり直そうって話になり、も

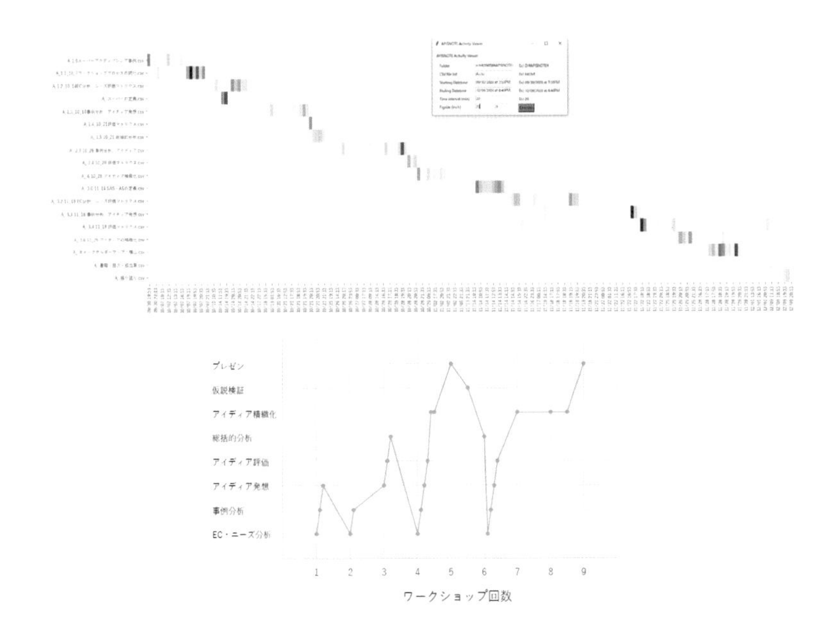

図6　APISNOTEのデータを可視化したAPISNOTE Activity Viewer（上）と
あるチームのワークショップの進行プロセスの可視化

う1回やり直してみたら、最後、中間プレゼンより遥かに良いアイディアになったというチームの軌跡なわけであります。

このワークショップは全部で6チーム、約10週間かけて一つのテーマでやったのですけれども、チームごとに見てみると、このプロセスというのが、大きく異なっているということが図7左からわかると思います。実際にワークショップをやると、同じテーマで同程度に優秀な学生がワークショップをやるのですけれども、やはり後半のプロセスというのは、チームによってすごく差が出ます。それが、グループワークがうまくいくとか、うまくいかないとか、良い結果を出すとか、良い結果を出せないとか、あるいは教育効果が得られるとかいうことに影響しているわけです。これを、どのように最適化していくのかということが大きな課題で、そのために、どのようなファシリテーションをしたらよいのか、どういうコメント・フィードバックを与えたらよいのかということを考えたりするわけです。

図7右は、一つの列が一つのチームで、6チームそれぞれの進行プロセスについて、APISNOTEの膨大なデータを整理して、どのワークシートを使かったかを黄色の付箋で表し、出てきたアイディアを濃い赤で表し、ファシリテーターの私からのコメントを茶色で表して、象徴的な情報を挙げていくと、6つのチームがどのようにワークショップを進めていったのかが一覧することができ、どのフィードバックやコメントがどういう結果に繋がっていったかというように、プロセスを振り返ることがうまくできるようになります。i.schoolでは、このようなものを使って複雑な現象であるワークショップ、グループワークを計測して、データを取って、それを分析して、可視化して、ワークショップの設計やファシリテーションに活かしていこうとしています。ワークショップの後半の試行錯誤するプロセスをより良いものにしていくことに取り組んでいるわけであります。

他にはアプリを作って、チームの誰がどういう内容の発言をしたかというのを、記録係が記録してみたこともあります。チームメンバーの名前を書いたボタンを発話があるたびに押して発話時間や順序を記録しました。また、360度カメラをグループワークの真ん中に置いてチームメンバー全員の顔の動画を記録しました。顔を自動認識して、表情分析を行うこともやってみました。

例えば、一つの可視化の結果を図8に示しています。これは2つのチームを比べています。3日間のワークショップの2日目で、アイディア評価が終

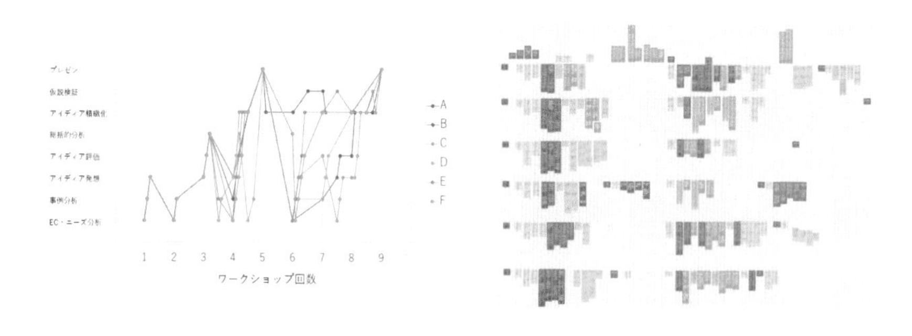

図7　各チームのワークショップの進行プロセスの可視化

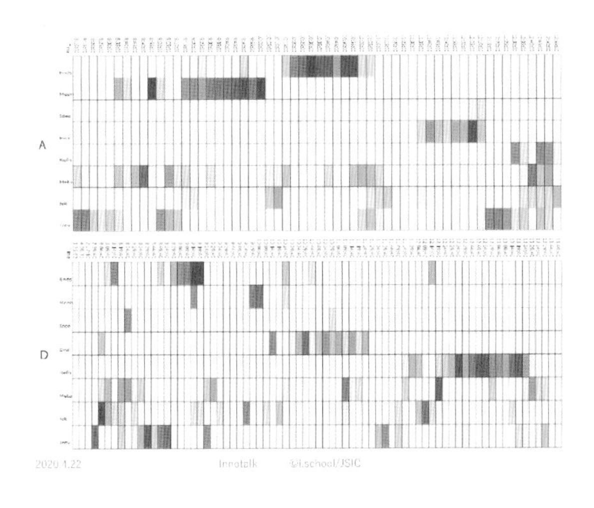

図8　2つのチームのワークショップの進行プロセスの比較

わって、総括的分析を行った後、2回目のPDCAサイクルに入っているところです。夕食後、夜の8時ぐらいからスタートして、終わる時間は夜中の12時を過ぎた頃までやっていたようです。上から順に、1つ目の行が目的に関する発話、2つ目が手段に関する発話、アイディアに関する発話、評価に関する発話、精緻化に関する発話、メタ認知的な発話と分類して、発話の10分ごとの回数をヒートマップで表しています。上段のAチームは、まず最初にフィードバックがあって、ファシリテーターの私から、ここをやり直したほうがいいのではないかと、ここがよくないじゃないかとか言って、彼らがまず最初に手段分析を行い、次に目的の分析を行って、アイディアを発想して、アイディアの評価をして、アイディアを精緻化するという理想的なパターンをとっています。一方、下段のDチームは残念ながらそのようにはなっていなくて、手段分析をやれというフィードバックをしたつもりなのですけれど、ほとんどやってくれていない。どちらかというと行き当たりばったりの議論をしています。

さらに詳しく見てみてみると、例えば、4人のチームについて、横軸が時間軸で、発話した順番を記録したものが図9です。発話、つまり対話の頻度を線の太さで表すと、この4人の中で対話が均等に行われてなくて、図9左下に示す頂点にいる人と他のメンバーとの対話が中心になっているということがわかる。それに比べて図9右に示すチームは、5人のチームですが、ほぼ均等に対話されていることがわかります。

また、グループワークの動画を撮影して、顔を自動認識して笑顔度というものを記録したこともあります。笑っている人の比率をヒートマップで表してみると、チーム間でずいぶん違いがあるのだということがわかります。真剣に考えるときは笑わないので、笑っていれば良いというわけではないのですけれども、Dチームはほとんど最初から最後まで笑ってないことがわかりました。i.schoolではこのような複雑な現象であるワークショップ、グループワークというものを計測して、データを取って、それを分析して、それを可視化して、ワークショップの設計やファシリテーションに活かしていこうとしています。

2021年度は4月からワークショップがすべてオンラインになったので、電子付箋ツールAPISNOTE、ZoomやSlackを使ってワークショップを行いました。我々の関心は、前年度まで対面でやっていたワークショップと、オンラインのワークショップが同じようにできるのかということです。私の机の上にはAPISNOTE用の画面と私のメインディスプレイ、そしてチームごとにZoomのブレイクアウトルームに入っていく記録用のノートPCが並ぶことになります。4チームの場合は4つのノートPCを並べてブレイク

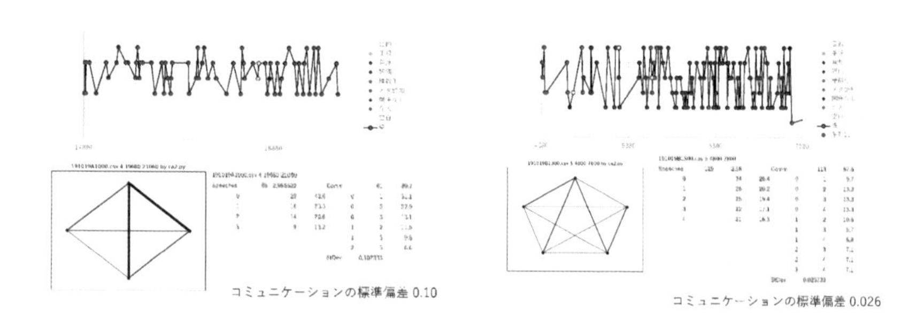

図9　グループワークにおける対話の順序と頻度の可視化

アウトルームの様子を見て、それぞれの音声を聞くと大体どこでどんなことやっているかがわかります。Zoomの動画を解析して、顔を自動認識して、笑顔度を計算することもできます。図10はあるワークショップが終わった後の8分間の雑談を記録したもので、一つの点が認識された一つの顔です。笑顔度が0から100で、0は完全なしかめ面で、100は満面の笑みで、50以上を笑顔としています。図10を見ておわかりになると思いますが、みんなよく笑っているのです。通常ワークショップの最初は、ここまで笑ったりはしません。ワークショップが終わって、どういう雰囲気だったかというのは、これを見るだけでもおわかりいただけるかもしれません。オンラインでワークショップをやっても、対面のワークショップとほぼ同じようにワークショップを行うことができると思っています。ファシリテーターも各チームの様子を見て、本当に必要なときに適切なタイミングでチームに入っていって、コメントする、フィードバックを返すということが、これらのシステムを使うことによって可能になるということを確認しているところです。

企業向けにオンラインのチームワーキングという課長研修プログラムを本格的に始めるために、これらのシステムを試しに導入してやってみました。オンラインで仕事をすることが当たり前になったのだけれども、ミドルクラスのマネージャー、課長さんに非常に負担がかかっているようです。リモー

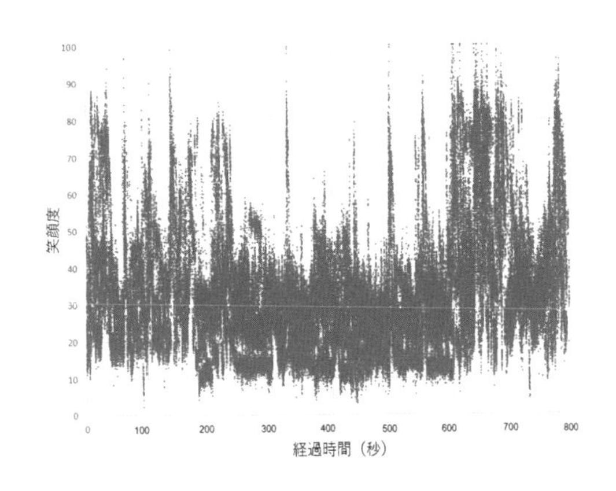

図10　オンラインでのワークショップ後の雑談中の笑顔度

トワークで課員を掌握して、チームとして機能させるスキルとかマインドセットを習得することが必要だということでこのプログラムを始めることになりました。i.school流のワークショップをマネージャーや課長がファシリテーターとして課員に対して提供することによって、信連関係を築き、リーダーとしての自信を深め、課長としてチームを率いるモチベーションを高めるという研修です。具体的にはまず課長さん向けにワークショップを実施して、次に同じワークショップを課長さんが課員に対して実施します。そのワークショップを計測して、アンケートを取って、課長さんに対してフィードバックの資料を作ります。例えば、この研修を発注した人事部長さんから課長さんへフィードバックをして、その結果も含めて報告書を作っています。

Zoomの動画データから発話分析を行って、図11のようなコミュニケーションのパターンをとることができます。課長さんがファシリテーターとなって課員の6チームにワークショップを行いました。丸の大きさが、その人の発話量を表していて、線の太さが対話の頻度を表しています。Aチーム、あるいはBチームは典型的な日本企業の会議の様子で、課長さんが喋りまくり、課員同士の対話がほとんどない状態です。AからDチームはどちらかというと偏った発話になっています。それに対してEチームは、非常に対話が均等に行われているということがわかります。

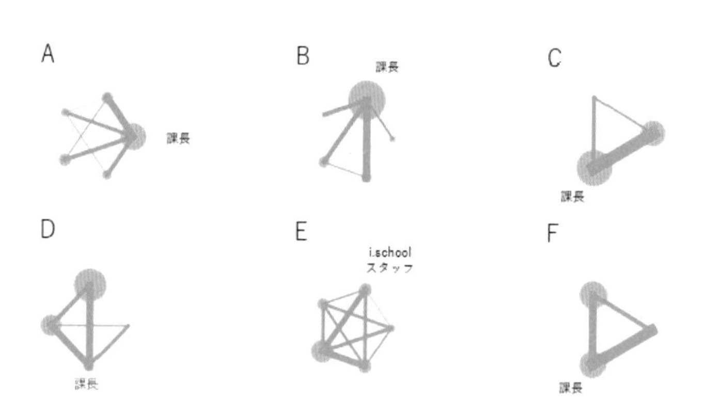

図11　コミュニケーションのパターン

図12上段はその均等な発話がされたEチームの結果を可視化したものであります。縦軸には、対話の変動係数で、図11のメンバーの点を繋いだ線の太さの標準偏差を平均値で割ることで対話の変動係数とし、その値が小さいと対話は均等、大きいと対話は偏っているということになります。対話の変動係数がどう変化するのかというのを自動的に出力することができます。このチームは1を切って0.7ぐらいの数値をとっているので、均等な対話が実現できています。各時間帯のコミュニケーションパターンを線の太さで表しています。バックグラウンドのヒートマップは、笑顔の比率で、何割の人が笑っているかということを示しています。このチームは非常にみんな笑顔でワークショップをしていることがわかります。一生懸命考える時間というのは白色になっています。特徴的な結果が、後半3時10分ぐらいから現れて、このようなパターンが熱中して議論するパターンであるということがわかりました。それに対して、図12下段のBチームは、課長さんが一方的に話すチームで、いつも偏った同じパターンでみんな笑っていないということがわかります。このような分析結果に基づいて、課長さんに対してフィードバックします。

課員の方に行ったアンケートの結果では、「チームの議論は適切か」「メンバーの意見が議論に取り入れられたか」という質問に対して、対話が均等だったEやFチームの方がAからDチームよりも高く評価されました。またDチームでは、課員の方と課長さんとの評価に違いがありました。「チームの議論は適切か」「自分の意見を反映させられたか」という質問に対して、課員が課長よりも高く評価していました。一番差が大きく表れてたのは、「アイディア創出は普段の業務でも多いほうが良いか」という質問に対して、0から7までの8段階評価で、課員の人はみんな6という数値を上げているのだけれども、課長さんは1ということで必要ないという評価をしました。一方で、「ワークショップの手法は業務に活かせるか」という質問については、課長さんも課員の方も同様に評価したし、「より多くのアイディア創出手法を体験したいか」という質問についても、課長さんは高い評価をしていました。そこで、課長さんにアンケート結果を見せて、通常業務でどの

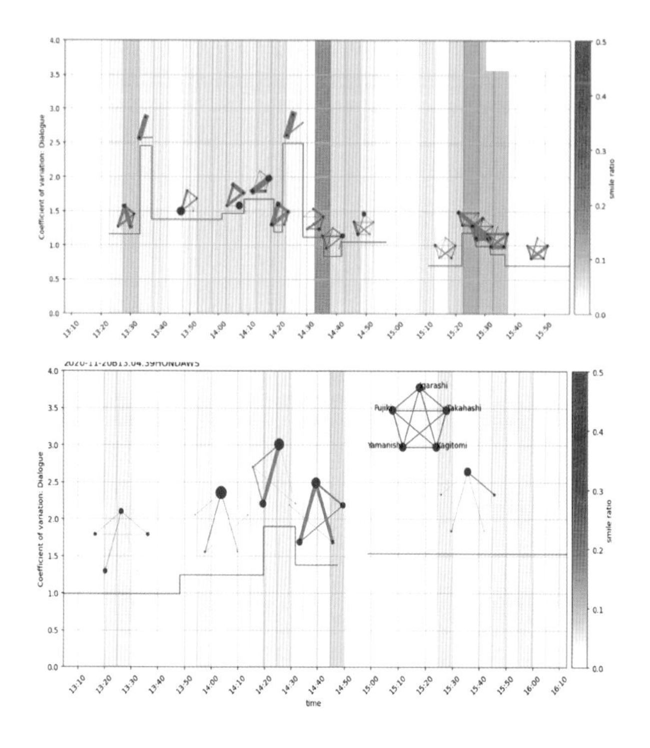

図12　Eチーム（上）とBチーム（下）の詳細なコミュニケーションのパターン

ようにアイディア創出のワークショップを活用したらよいのかということを伝え、課長さんがワークショップをファシリテーションできるようになったら、きっと課員の満足度も高くなるだろうし、課長さんの自信を持ってチームを掌握することができるようになるのではないかと考え、フィードバックを行っております。

チームワークというのはとても重要です。『TEAM OF TEAMS』という分厚い本があるのですが、これを書いた人は米軍のイラクに派遣された特任部隊の元司令官です。最精鋭の米軍の部隊、装備も最高、指揮も高い、訓練も最高という部隊が、寄せ集めのイスラム兵士になかなか勝てず、どうやったらイスラム兵士に勝てるようになるかということを試行錯誤し、その司令官の苦労の結果がこの本にまとまっています。現在はその司令官は会社を経営しているそうです。なぜ米軍の元司令官が、企業に対してコンサルティングしているかというと、技術力も人材面も、米軍の最精鋭の部隊がイラク兵に勝てないのと全く同じ理由だと言っています。同じ対策が企業にも活かせるということで、ワークショップしています。いくつかありますけれども、一番大切なのはやはりチームワークということです。状況が刻々と変わる、何が正解かわからない、誰が正解を言えるかわからない状況の中で、常に正解を選んでいかなくてはならない。そのときに、軍曹がいつでも正解を持っているのか、あるいは、遠く離れた本部に聞けば正解を伝えてくれるのかというと、全くそのようなことはなくて、身分も関係なく、みんながこの状況の中でどうするべきかを言い合い、その中で最適な解を、それは経験のない隊員であろうとどうであろうと、一番良いアイディアを採用して実行していかない限り、イスラム兵に勝つことはできないということです。これはイノベーションワークショップの本質とほぼ同じなのではないかと思います。

i.schoolでは、イノベーションを生み出せる人になるために、スキルセット、マインドセット、モチベーションの3つが重要であるということを言っています。ワークショップを設計するとか、チームワークをうまくこなしていくというスキルセット。新しいことを生み出すということは楽しいことだとか、イノベーションというのは反対されるのは当たり前だから、反対意見があっても自分が正しいと思ったら、最後までやってみようと思うというようなマインドセット。何のためにイノベーションを生み出すのですかと聞かれたときに、より良い社会にするためとか、社会を自分の価値観にあったもので埋め尽くしたいというように答えられる高いモチベーション。i.schoolの場合は大学生を相手にしているところもあるので、スキルセットから入ってマインドセットを育て、最後にモチベーションを高めようという戦略をとっているのですけれど、結局やはりモチベーションというのは一番重要だと感じています。どうやってモチベーションを高めるのですかということが一番の関心事です。

モチベーションとは、「the reason why you want to do something」ということです。イノベーションを起こす理由であり、あるいはイノベーションワークショップに参加する理由です。10週間もかけて何度もやり直して、それでも困難にくじけない心をどうやって持つのか。やはり高いモチベーションが必要となります。そのときにヒントになるのは、チクセントミハイが提唱したフローの理論です。それをグループに当てはめたグループフローの考え方があります。フローというのは簡単に言えば、没頭している瞬間ということです。グループの全員が没頭している瞬間を体験すること、それがモチベーションを高める有効な方法です。では、イノベーションワークショップの中でどうしたらそのようなグループフロー、全員が議論に没頭できるような状況を作れるのかということが課題になります。そもそも、そのような瞬間があるのかないのか。どのような時にその瞬間になるのかということを知ることがまず先決になります。

例えば、図12上段のEチームでいうと、15時20分から15時40分の間は、グループフローと呼べるかどうかわかりませんが、没頭して議論していると考えられます。チームメンバーみんなが議論している、このような瞬間ではないかと思います。今、1年間のワークショップすべてについてこのような分析をしているのですけれども、他のワークショップの中でも、このようなパターンで現れてきます。対話の変動係数が小さくなる瞬間というのがあって、その時々で熱心に対話しているメンバーは変わってはいるのですけれども、全体を見てみると、みんな均等に対話している状態になっています。そして、その最後に、みんな笑顔になるというパターンです。このように可視化することによって、複雑で、ちょっとその場に一緒にいたからといって何が起こっているのかわからないような複雑な現象が、どういう現象なのかということが、手に取るようにというほどかどうかわからないですけれども、わかってきます。我々が関心があるグループフローと呼べるような状態について、可視化されたデータから言うことができるのではないかと思っています。

ここでは最終的な結果しか出してないのですけれども、これらの結果を出すまでの過程では、最初にお示ししたような試行錯誤を繰り返しています。図13上段は、対話があった、対話が始まった、あるいは対話の瞬間を点で表しています。時間とともにどういう対話があったかというのを表していて、見てみて、ある時間でパターンに分けられるということがわかりました。そして、それを自動的にパターンで分けるために、ある時間の5分前と5分後のデータのベクトルの差を取って、差のベクトルの大きさをプロットしたのが下の図です。この下の図から、自動的にピークをとると、パターンの開始と終了の境目がわかって、その間を計算すると図12のような図を書くことができます。このようないろいろな試行錯誤を積み重ねて、ここでご紹介したような描き方がよいのではないかということにたどりつきました。

このような試行錯誤を方法論として考えてみると、図1のようなプロセスで表示方法を見つけ出しているのだろうと考えています。i.schoolの取り組みとしては、これまでデータビジュアライゼーションにそれほどフォーカスを当てていなかったのですが、このような試行錯誤から得られる知識をうまく体系化していくと、何かデータビジュアライゼーションの体系や方法論の構築、それに対する知識体系を作り出せるかもしれないと考え始めているところです。

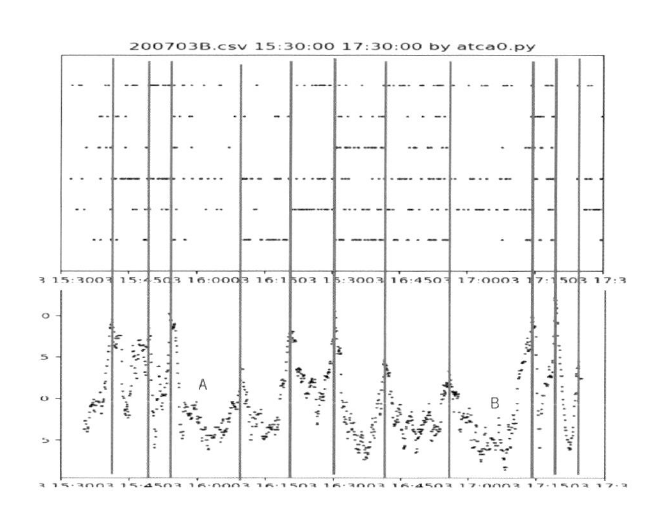

図13　データ解析の過程

3

Functional Porous Materials with Ordered Structures: From Synthesis to Applications

講演者：Prof. Kevin C.-W. Wu

Department of Chemical Engineering, National Taiwan University

主催

神戸大学大学院工学研究科グラフィクスリテラシー教育研究センター

共催

(公社)化学工学会SIS部会ダイナミックプロセス応用分科会

日本図学会関西支部

神戸大学V.School

Hi, everyone. It's very nice to see all of you. I know this section is about using graphics to explain complicated phenomena, so I tried to use a lot of illustrations to show all of you how we do synthesis, and some applications of functional porous material with ordered structures. Let me start my presentation.

When we talk about a porous material, so you may know "pore," sometimes people will think "pore" means empty. And empty means useless. So some of my students sometimes ask me why we spend a lot of time synthesizing useless material. But I always have to convince them, we are not synthesizing useless material. Actually, they are quite useful.

So I always start with the slide of an old Chinese scholar called Chung Tsu. He used to say, "Everyone knows the usefulness of the useful, but no one knows the usefulness of the useless." So, how to make a useless thing into a useful thing. That is the mission of us scientists. So porous materials; I would like to say that it's a useful material. I hope you will all agree with me at the end of this talk.

So, in reality, for example, space itself is useless. However, if you put

Figure 1 A photo of giant lantern.

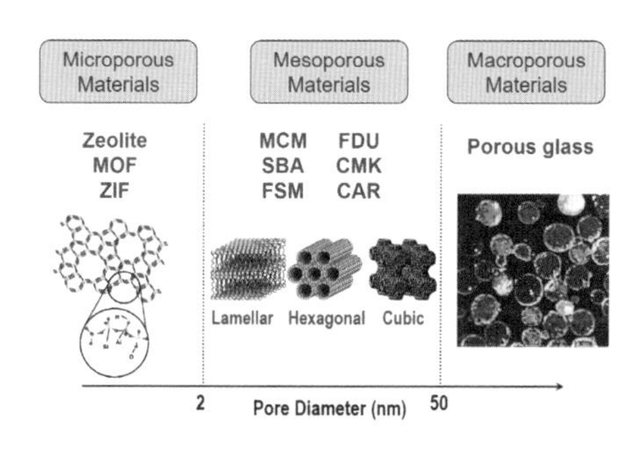

Figure 2 Classification of Porous Materials According to IUPAC

a cover on it, and make a framework, and put a light inside, you make a flying lantern. We, Taiwanese people, like to write down some wishes on the lantern, and the lantern will drive your wish to the sky. And we wish that God will make your wish come true.

Several years ago, my family also made this big giant lantern (See Fig.1). This very huge, porous, material. I wrote down my wishes on the lantern, and if you know Chinese, maybe you understand the first wish I wrote. is I want to publish a paper in Nature. But so far this dream hasn't come true.

That's for reality. However, for science, what is a porous material? According to IUPAC–the International Chemistry Association– they define porous material into three different groups (See Fig.2). The first one is microporous material. These three depend on their pore size. If the pore size is less than two nanometers, it is a microporous material. If the pore size is larger than 50 nanometers, we call this a macroporous material. If the pore is between, we call this a mesoporous material. This is how we define the porous material in science. So today I will talk about how we do the synthesis for these three different kinds of porous material. I will talk about MOF, mesoporous material, and macroporous material.

In my group, we are doing all kinds of porous material synthesis, and for some applications (See Fig.3).

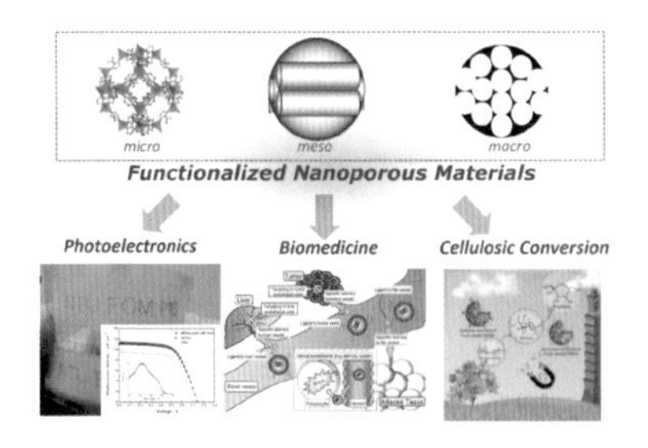

Figure 3 Study in my group

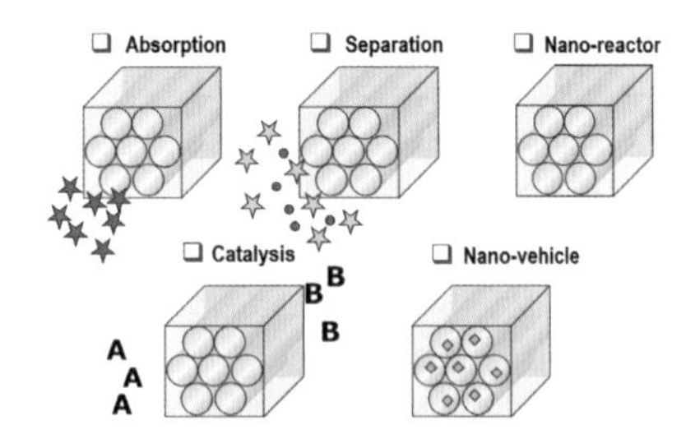

Figure 4 Applications of nanoporous materials

Today I will only choose some topics to tell you that porous is actually very useful in all kinds of applications.

So how can porous material be utilized in different kinds of applications? I use this slide as an introduction (See Fig.4). First, because porous material has a huge surface area, it is a very good absorbent of gas molecules. For example, in my home, in the fridge, we put some activated carbon in the refrigerator to absorb some smell. That's for absorption. Or, if you can control the pore size, with the very uniform pore size, you can allow small molecules to go through the porous material, and you can stop the large molecules. This is what we call the separation process. Today I will also talk about one of the separation applications. And because I am in the chemical engineering department, we chemical engineers like reactors. This porous material can be regarded as a nanoreactor. So we use this space as a reactor and we do the reaction inside the space. We can synthesize different kinds of nanomaterial such as nanoparticle nanorods inside a pore. And also for the catalysis; as I mentioned, porous material has a huge surface area so we can easily put a lot of catalytic active sites on the surface, and then the whole material can be a solid material. When we apply this solid catalyst in the liquid or gas phase reaction, this is called a heterogeneous catalyst. So reactant A can easily go through the pore during the reaction and the product, B, can easily come out. This is for catalysis. And finally, I will call this application a "nano-taxi." So in addition to absorbing some gas molecules inside the pore, we can also drive this gas molecule from one side to the other side. So this is particularly useful in drug delivery systems, DDS. So we can load the drug outside a human body, and then as the drug carrier, this porous material delivers the drug to the inside of the body and then releases the drug near the tumor site. These are the five commonly used applications for porous materials.

Next, I will talk about microporous material, especially MOF (See Fig.2 left). I think some of you already know this very new material (See Fig.5).

Actually, it's not so new. It's already been more than 20 years. The first discovery was in 1999 by professor Omar Yaghi. He created the term "metal-organic framework." By the meaning of the term, you may know that we need a metal precursor for the material. For example, zinc. Zinc is a kind of metal. And then we need an organic linker, for example, this aromatic ring with two COOH groups. This is also a commonly used linker. And through this coordination bond, between the metal and the linker, you create a framework like this. This is what we call MOF. And in Japan, you may be more familiar with another term, porous coordination polymer, or PCP. This term was created by Susumu Kitagawa sensei from Kyoto University. The meaning is the same. Both mean porous structures by coordination chemistry. This is the coordination bond. This yellow ball means space. It's not a material. The material is the framework, and this means space. This space is usually very small, less than two nanometers, so we call this a microporous material. Because of this small pore, the size is usually suitable for the absorption of gas. For example, hydrogen or carbon dioxide, CO2. So this is widely used in gas absorption applications.

If you understand this concept then next you may also think about, if you are an organic chemist, designing different kinds of organic linkers (See Fig.6). For example, with different functional groups, or you can create two

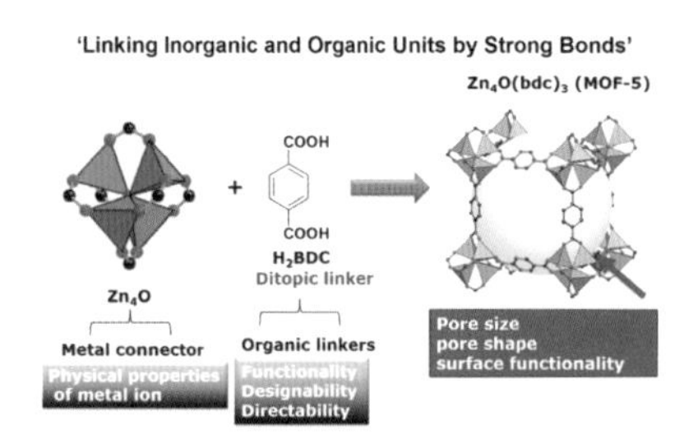

Figure 5 Explanation of Metal-Organic-Framework (MOFs)

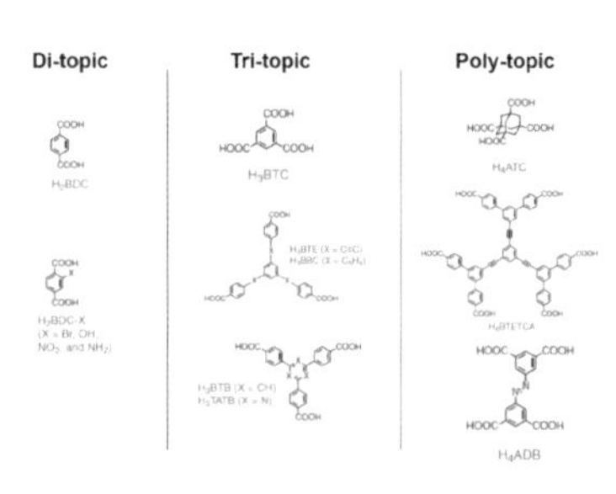

Figure 6 Library of organic linkers

COOH groups, or you can create three, even four. You can create all kinds of organic linkers. You can increase the distance. You can do many, many things.

For the inorganic chemist, you can also try to change the metal side (See Fig.7).

For example, you can choose zinc, or you can also choose different kinds of metal. For example, Chromium, Ruthenium, Cobalt··· all kinds of inorganic metals you can try. You probably understand this combination is many, many, many.

That is why when MOF was discovered in early 2000, the publications have increased hugely recently. And not only in academics but also in the industry, there are many many new start-up companies for MOF. For example, MOFapps is a company that synthesizes MOF for gas absorption.

For me, synthesizing MOF is like playing with Legos. I think everyone plays Lego when they are a kid. There are many choices for the components, and how to use these components. This metal, organic linker... To create your own structure, you can use your imagination. Or use your creativity to build your own structure, your porous material.

And that's why we started this material. Before we go further, I will also introduce another special type of MOF, which we call the Zeolitic Imidazolate Framework (See Fig.8). We call it ZIF. This is a subclass of

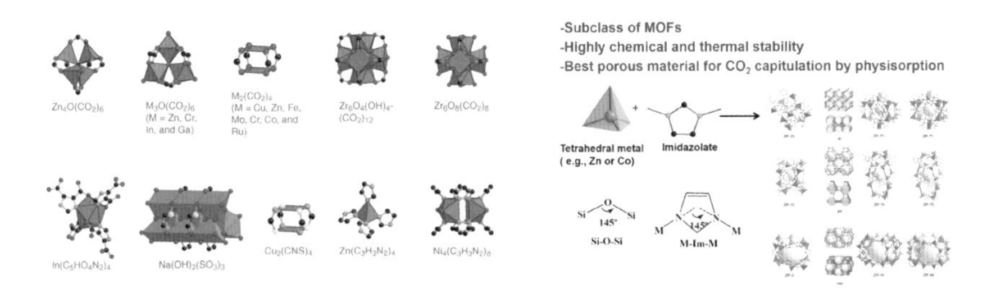

Figure 7 Library of inorganic metal

Figure 8 Zeolitic Imidazolate Frameworks (ZIFs) connectors

MOF so it is basically like MOF. This is when you choose zinc or cobalt as the metal, and you choose imidazole as the organic linker. This is the typical imidazolate. These two green balls are nitrogen. The black ball is carbon. So when you choose this special case, zinc with imidazole, the chemical bond will form a special angle: 145 degrees. This angle is similar to zeolite. Zeolite is an aluminosilicate. In the case of silicon-oxygen-silicon, the angle is also 145 degrees. So when we use this metal and this linker, the angle is pretty similar to zeolite. This is why we call it zeolitic– "like zeolite." We want to emphasize this material because ZIF usually shows very good chemical and thermal stability, like zeolite. They are quite mechanically stable. And they are especially good for CO2 capture. There are many kinds of ZIF. ZIF-8, ZIF-23··· You can have different linkers, but basically, they are all the imidazole-type linkers.

When my group started to work on MOF, we were thinking about the first students, they tried many many cases. May be I can go back to the Fig.6. When we started to synthesize MOF, we found that because the linker usually contains this aromatic ring, it can only be dissolved in organic solvents. At that time, in my group, we were thinking: can we use water as shown in the Fig.9? My students don't like to use organic solvents because usually, they are toxic. Also because in Taiwan, we are trying to promote green chemistry. Water is one kind of green chemistry. So we are thinking of doing a water based synthesis of MOF, or ZIF. So the first student tried many cases and with this one we got lucky: this special case called ZIF-90. So what is ZIF-90? When you use zinc nitrate, this metal here, and then use this imidazole type linker with an aldehyde group, because of the aldehyde group, this linker is quite hydrophilic so you can dissolve this linker in water. So basically in a solution, you find that you only have a metal, an organic linker, and water, in this ratio. And you can easily synthesize MOF here. So this is ZIF-90. And we can further control the morphology of ZIF. This is the first generation of our

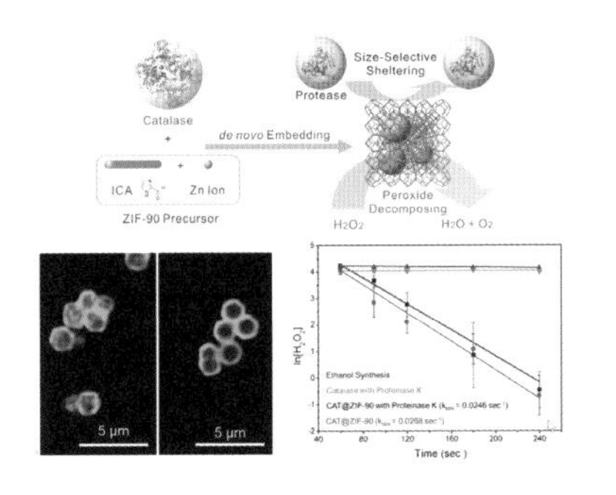

Figure 9 Recent contribution to MOF

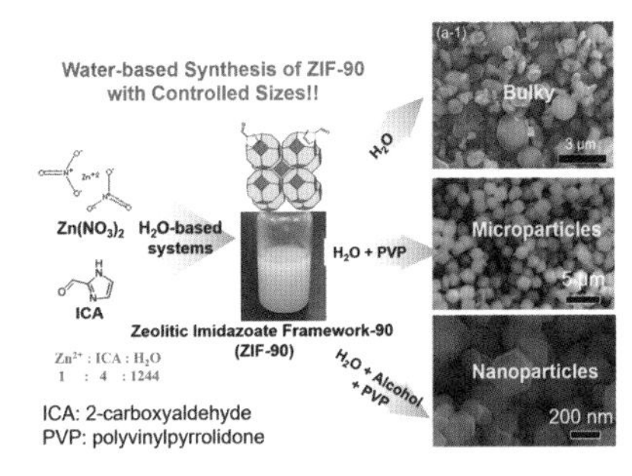

Figure 10 De novo synthesis of enzyme@MOFs

ZIF, so you can see the particle size is not uniform. By putting some special polymer, we can control it. We can see the particle size becomes very uniform. And the particle size is 2 to 3 microns. We further control the viscosity of the solution, so we can even decrease the particle size to nanoparticles. You can see this scale is 200 nanometers. I want to emphasize we can not only control the particle uniformity but also we can control the particle size in our system in water. This was our first published paper in Chemistry, a European journal. So you can see the water-based synthesis here.

When we first published this paper in 2013, the reviewer asked us a lot of questions (See Fig.10). They asked: MOF can already be synthesized in organic solvents, so what's the advantage to doing this synthesis in water? That time we tried to demonstrate some advantages. So this is one special advantage because we are thinking, if we can do the synthesis in water, we are going to do enzyme immobilization. Because enzymes are biomolecular and biomolecular cannot survive in organic solvents– organic solvents are usually toxic. So if we can do MOF synthesis in water, we can do this enzyme immobilization in a water system. The idea is very simple. We just put enzyme. In this case, we give you an example. This enzyme is catalase. This is a special enzyme to decompose hydrogen peroxide into water and oxygen. So we just put this enzyme into our synthesis system, and because this enzyme is molecular in a solution when the ZIF-90 is formed they will form from outside of the external surface of the enzyme. So the MOF will start forming from the outside. So in the end you will see the structure like this. So the enzyme will be embedded in the internal of the ZIF-90 like this.

I think everyone has watched the movie of 'Iron man', before. Actually, this enzyme is like Tony Stark. The one we want to protect. Our MOF is like the armor he wears. So the armor will protect Tony Stark. In this case, our MOF will protect the enzyme because this is catalase. However, this catalase is usually used in the textile industry. In the textile industry, there's an inhibitor called protease. You can consider this protease a bad guy. This red ball will kill the yellow ball. However, when you put the yellow ball inside the ZIF-90, we can protect this yellow ball because protease, this red ball, is too big. It's bigger than the pore size of the ZIF-90, so the red ball cannot go inside. So they will be stopped from outside. We call it size-selective sheltering. You will be stopped outside. However, hydrogen peroxide is very small, so hydrogen peroxide can still go inside and then it decomposes and then the product, hydrogen and oxygen, can still come out. So you can see this green fluorescent light. This one shows the catalase is uniformly put inside. So compared to this one you can see a lot of catalase inside our ZIF-90 particle. This is one typical example of water-based synthesis.

Another example I want to show you is another quite commonly used chemical engineering process, called pervaporation (See Fig.11).

In the industry, many people use membranes for the pervaporation process. Let me first introduce to you what pervaporation is. If we want to separate a mixture, we will put the mixture in from the left-hand side here. For instance, if we want to separate ethanol from water– water is a small molecule with molecular size 2.8 angstrom, and ethanol is a large molecule, 4.8 angstroms, we use a membrane. Usually, in industry, they use a polymer as

- ❑ Enhance both flux and separation factor
- ❑ Enhance mechanical strength of the membrane

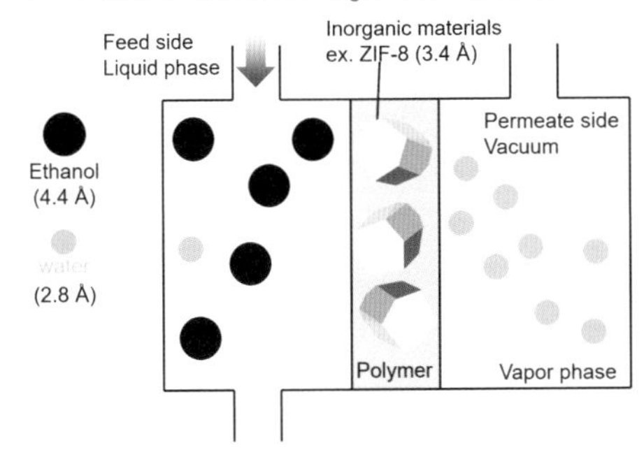

Figure 11 Mixed Matrix Membrane (MMM) in Pervaporation

a membrane. On the right-hand side, we have a vacuum. So you have a driving force because this side is a vacuum, so the small molecule will go through here. Large molecules cannot, or they go slowly. This is called pervaporation. We use this idea to remove water, so when the mixture comes out, there will be more ethanol and less water. However, I am thinking that in industry, many people use a polymer. And because a polymer is an organic molecule, when you operate this procedure for a long time, the polymer usually will swell and then get a lot of cracks. Cracks are not good for separation. So many people try to put inorganic particles inside the polymer matrix to increase the mechanical strength. In industry they call this a mixed matrix membrane, MMM. When I first learned of this idea, I was thinking, we want to put inorganic particles inside organic polymers. Why don't we put porous inorganic particles– for example in this case I put ZIF-8– and you can see ZIF-8's pore size is 3.4 angstroms, which is bigger than water but smaller than ethanol. So theoretically, water can easily go through not only from the polymer side but also go through from the inorganic ZIF-8 side, and can be removed. So then, you have more concentration of ethanol. This is my idea.

But then what's the advantage of our water-based synthesis for this

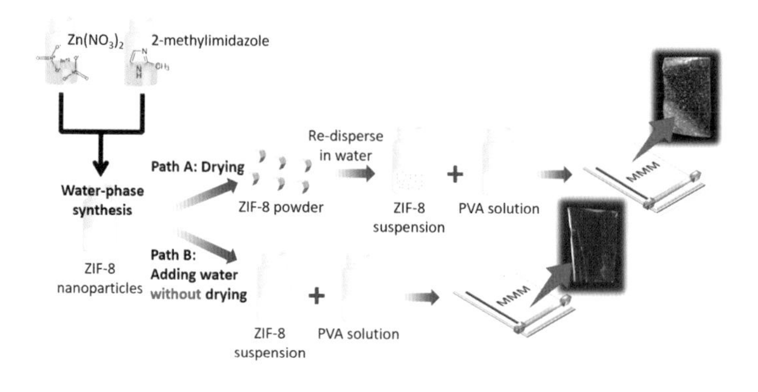

Figure 12 Preparation of ZIF-8/PVA mixed matrix membrane (MMM)

work? Please see the Fig.12.

In conventional ways, many people are also working on MMM. They do the synthesis, and then they get the MOF powder– in this case, ZIF-8 powder– and then they do the re-dispersal in water, and then mix with your polymer. In this case, we use PVA as the polymer solution. And then mix these two and then do the casting. However, if you work on nanomaterials, you will know that after drying, these nanoparticles very easily aggregate together. Once they are aggregated, it is very difficult to separate them in a solution. Since our water-based synthesis is already in water, I called my student saying that we don't need to do the drying. We can have this ZIF-8 suspension in water. Also, this polymer solution, this PVA, is also a water-soluble solution, a polymer in water solution, so you simply mix two waters together, and then you do the casting. The difference is huge. This is the conventional way. You can see a lot of white spots. This means the aggregation of the ZIF particle. In this aggregation, there are many many cracks inside. This right-hand side is our process, a without-drying process in a water-based system. So you can see that it is almost transparent. That means the particle is very very uniform in this polymer.

This is the SEM image (See Fig.13). You can see this is our membrane thickness, and when you enlarge the membrane, you can see that this is our particle. And they are very uniform inside the membrane. So we can try to increase the loading of our ZIF-8 from zero to the maximum one of about 40%. We can still have a huge separation factor and still have very high flux. That means we can separate water from ethanol. Not only very efficient but also very fast. Flux means speed.

This is another illustration to show you some ideal structures (See Fig.14). This is your inorganic particle. This is the polymer. When you mix inorganic particles with polymers, This is the ideal morphology. The interface is perfect. However, usually, you will have this imperfect case, like this. Some interfaces have pores, or the polymer goes inside. These three are not good. I believe, in our case, we achieve almost this perfect case.

These are two examples of our MOF study. And then I would like to introduce another application. In the beginning, I introduced you to MOF (See Fig.15).

Usually, we will have a metal side, an organic linker side, and then a space. So not only is this space useful, but we also think about when MOF is synthesized. MOF actually provides very good support and is a very good

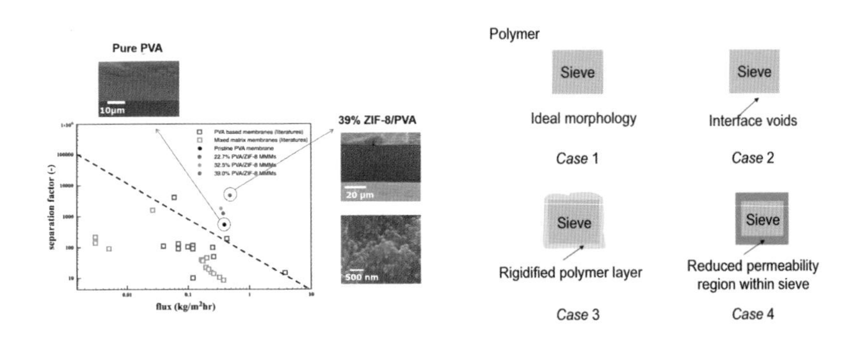

Figure 13　PV performance

Figure 14　Challenges of MMMs

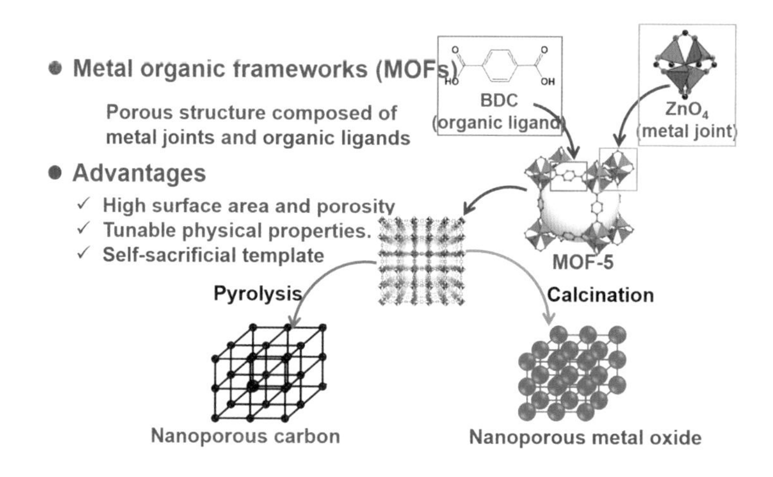

Figure 15 MOFs as templates for nanoporous carbon or metal oxides

resource for the metal, and for the carbon. Because we know the organic linker is actually carbon-based. We, chemical engineers, like to burn things, so after we synthesize MOF we do the pyrolysis. Pyrolysis means we burn the MOF without oxygen. For example, you can burn this MOF under nitrogen, so all the organic compounds will be converted into carbon. Basically, you create a nanoporous carbon. So you can somehow maintain the porous structure very well. On the other hand, you can also remove the organic linker and convert metal into metal oxide. This is another strategy. You do calcination in air. So you can choose either way. In my group, we also do this pyrolysis. We can convert MOF– actually, it's ZIF–but MOF, then with the pyrolysis, we can create a porous carbon, and we use this porous carbon as the catalyst.

I will go quickly through this application (See Fig.16).

So in my group, we also work a lot on biomass conversion. Conventionally, when you have a lot of biomass, usually in the countryside in Taiwan, the farmer will just burn it. This creates a lot of air pollution. This is not good. So the new idea is: can we do catalysis conversion? So we want to take this biomass waste and then do the depolymerization and the upgrading, and we want to produce a lot of useful chemicals, like these. In order to do this, we are using a MOF-derived catalyst. For example, like this carbon.

This is just some background (See Table 1). We have a lot of biomass waste in Taiwan. The first one is bamboo, but bamboo is very difficult to convert. Besides, bamboo is already quite useful in many applications. So I chose the second largest one, which is rice straw. We still have a lot of rice straw in Taiwan. The biomass waste is 1.5 million tons per year.

The composition of rice straw is cellulose, lignin, and hemicellulose. This is big science but I will make the story short and simple. Here we will just focus on cellulose.

Please see the Fig.17. So first we have this biomass waste. You can have some pretreatment to get the cellulose and then depolymerization to get the oligomer and glucose. And then we can finally do the isomerization and dehydration to get to this HMF. This is a so-called top 10 useful chemical. Anyway, you can just remember the structure of this. This is the furan ring with aldehyde and alcohol.

If we change these two functional groups to COOH, this is the so-called FDCA, Furandicarboxylic acid, as shown in the Fig.18.

Biomass waste in Taiwan

Biomass	Rank	Crop area (hectare)	Produced Waste (ton/ha)	Total waste (ton)
Bamboo	1	148,798	14.8	2,195,535
Rice straw	2	270,165	5.88	1,588,570
Cooking waste	3	-	-	795,216
Market	4	-	-	130,650
Waste wood	5	-	-	89,339
Banana	6	13,344	6.0	80,064
Corn pole	7	8,350	6.4	53,440
Pennisetum	8	2,110	24.9	52,081
Bagasse	9	8,109	6.1	34,868
Flower market	10	-	-	1,033
Total		-	-	5,020,796

Table 1 Potential agricultural waste

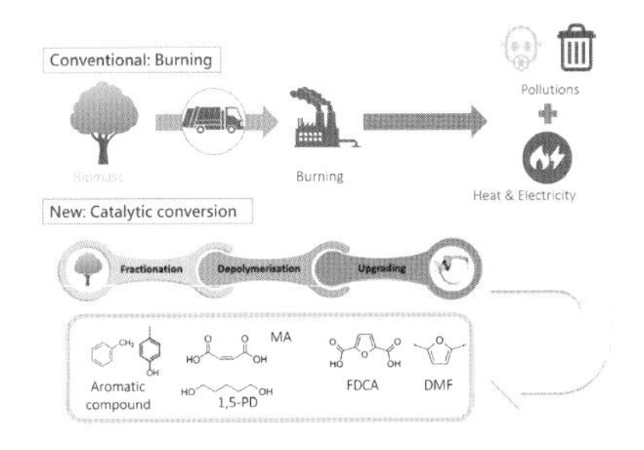

Figure 16 Treatment for lignocellulosic biomass waste

Why this chemical is important and useful is because I think everyone knows the plastic bottle, PET. Please see the Fig.19. Plastic bottles are made from PTA and EG, ethylene glycol. which is actually from crude petrol. This is not good. We know we want to reduce the usage of crude oil, so that is why now people try to produce ethylene glycol directly from biomass. Also, that is why we need another chemical to replace PTA, so that is why FDCA is quite

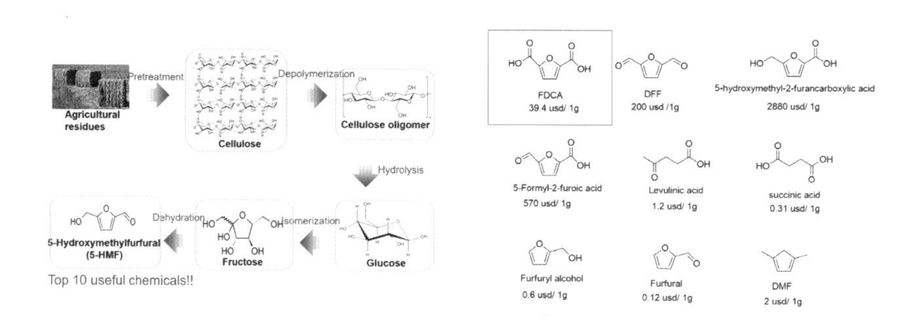

Figure 17 Flowchart of cellulosic biomass conversion

Figure 18 Fine chemicals from HMF

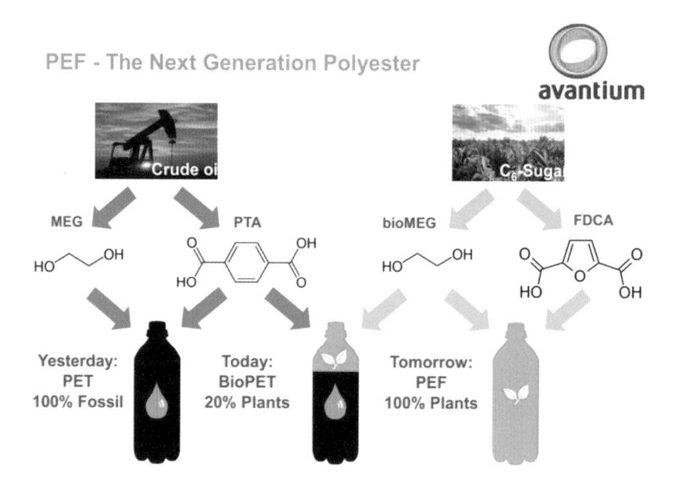

Figure 19 Application of FDCA – Production of PEF

useful. Because when you compare these two chemical structures, you can see they are very similar. They both have two COOH groups. So this is benzene this is furan, that's the only difference. So now we can produce this FDCA from biomass. So that is why so-called bioPET, or in the near future there will be PEF, F means from furan. 100% from biomass. So this is one of the major works Coca Cola company is working on.

My group is also working on the reaction as shown in the Fig.20. So we try to convert HMF -this is furan this is aldehyde and this is OH – convert that into COOH groups. By using our carbon material. And this carbon is actually derived from ZIF-8. ZIF-8 is from our water-based synthesis. I skip a lot of detail because of the time limitation. Actually, this is the nitrogen-doped carbon so they somehow show the activity. If you are interested I can come back here. So this is an interesting case where we can use a non-metal catalyst for this reaction. With a quite high yield. So we call this the metal-free catalyst.

I now change the topic to the mesoporous material (See Fig.2 center).

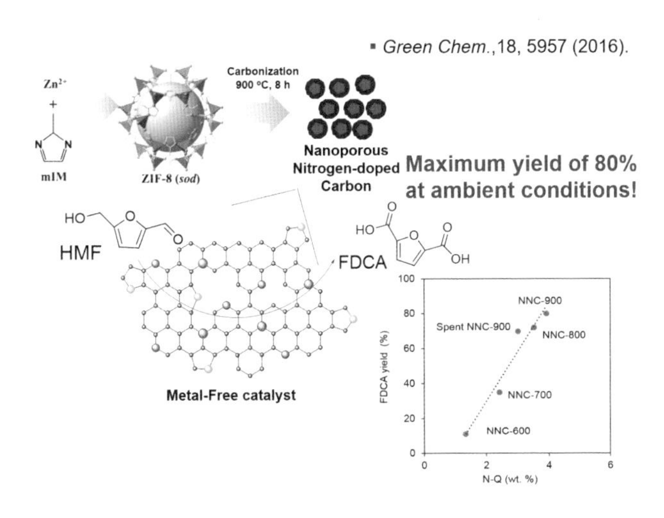

Figure 20 MOF (ZIF-8) → Nanoporous carbon

Actually, this is the topic I worked on when I was a Ph.D. at the University of Tokyo and I also kept working on this topic when I was a postdoc at Waseda university. So when people want to synthesize mesoporous material, I usually show the slide of the Fig.21 to them.

And then to synthesize the mesoporous material usually you need inorganic species so people like to use silicon. Silicon is an example because silica is very easy to control the synthesis. So for example, you use silicon alkoxide here and then you put into the water this so-called sol-gel process. At the same time, you also need a surfactant. The surfactant will usually self assemble into an ordered structure. This is physical chemistry. For example, they will self-assemble into a hexagonal structure. So you put these two together. Sometimes I use cooking ramen as an example. When you cook ramen, you need soup and noodles. So surfactant is like a noodle. The silica source is like your soup. So you basically mix the soup with your noodle. And this noodle is well ordered, so you mix these two together, and then because surfactant is usually the organic polymer so you can easily remove the surfactant by calcination. You just burn it and then finally you will have this porous mesopore. Because of the size of the surfactant, you can have this mesopore. This is how we do the synthesis of mesoporous material.

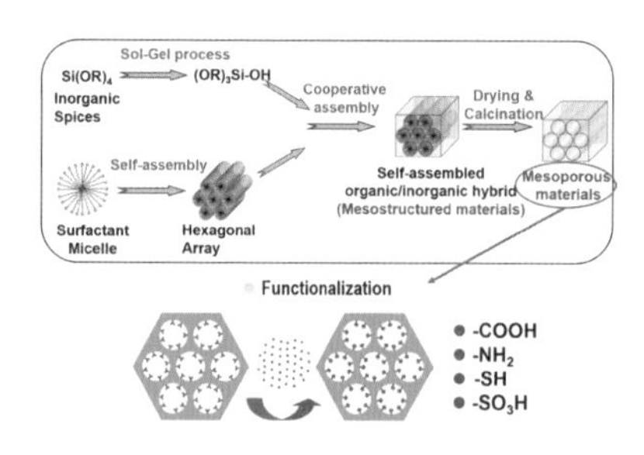

Figure 21 Synthesis of mesoporous materials

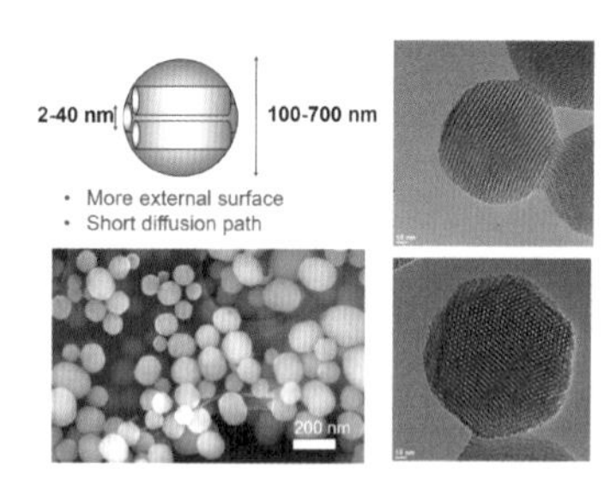

Figure 22 Mesoporous silica nanoparticles (MSN)

And then we can also make the porous material, mesoporous silica, as the particle morphology (See Fig.22). So you can see we can control the particle size, very small to very large, and also we can control the mesopore from 2 to 40 nanometers. This is a TEM image. When you see the TEM image from this side, you can see the straight channel. If you see from this direction, you can see this honeycomb structure. So this white spot means the channel. The pore. They are stretched channels like this. So this is the illustration. So as I say we can control particle size from very small to very large (See Fig.23).

We can also control pore orientation (See Fig.24). So this is the straight channel, the honeycomb structure. Also, you can change the straight channel to this helical channel. They are rolling. Or you can change to the radial channel like this. So you can change all kinds of porous orientation in one particle.

So why is the mesoporous silica nanoparticle useful? Please see the Fig.25 left. As I mentioned, high surface area, huge pore volume, also uniform pore size. Also, they have a lot of functional groups, silanol group. And also silica is rigid. Silica is quite rigid. So you have a rigid framework. So you can put a lot of biomolecules like enzymes inside. Also, you can control the particle size and shape and also we can control the different functional groups on the outside or we can selectively put the functional group inside the

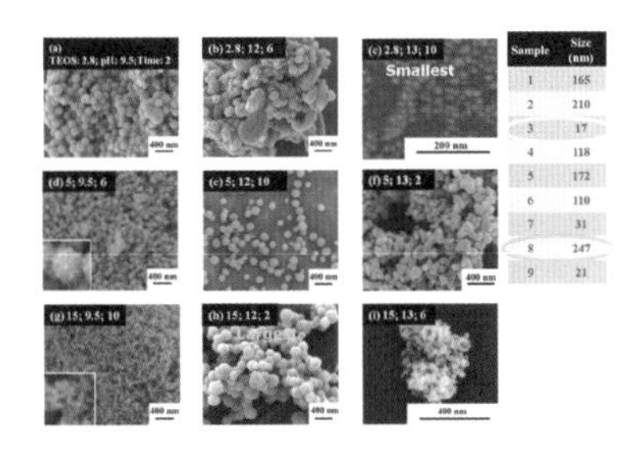

Sample	Size (nm)
1	165
2	210
3	17
4	118
5	172
6	110
7	31
8	247
9	21

Figure 23 Control of particle size

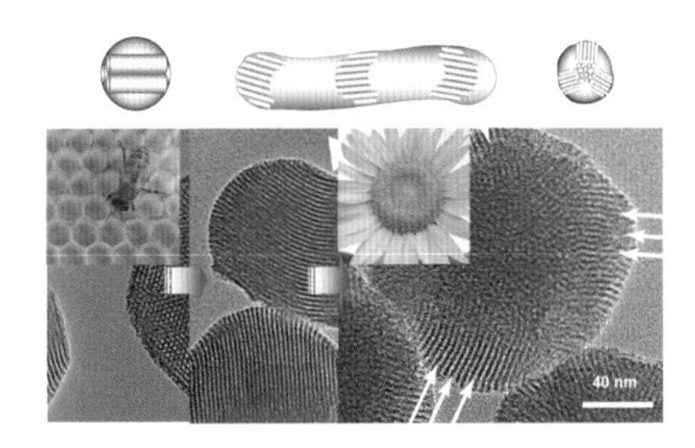

Figure 24 Control of pore orientation

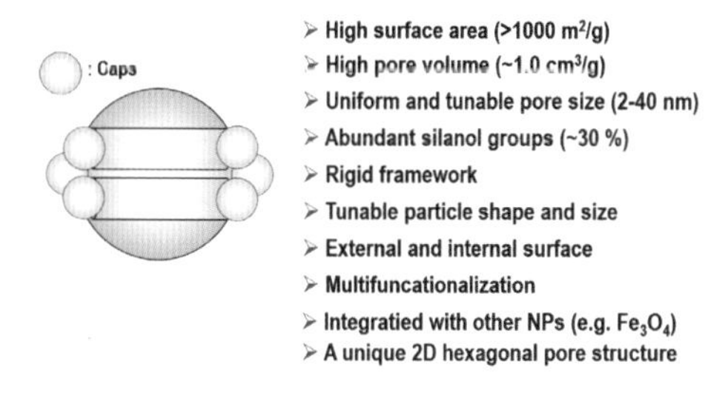

Figure 25 Advantages of mesoporous silica nanoparticles (MSN)

surface area. You can put one or two different functional groups. Also, you can put different other kinds of nanomaterial. For example, iron oxide inside a mesoporous silica material. You can do all kinds of these control. Also, you can put another nanoparticle as a cap to close the window. You can close and open the window. You can easily control this. And also sometimes you can do the morphology control. You can have this heart shape particle (See Fig.25 right).

Okay, so I use mesoporous silica nanoparticles as the catalyst for one application, tooth bleaching (See Fig.26). You want to bleach your tooth. So when I started working on this, this was cooperation with the dentist. So when we want to do the tooth bleaching, we have to understand the structure of your tooth. Actually, the normal color of the tooth is yellowish-grey. However, when you stain, for example, I like to drink coffee every day. Maybe more than five cups of coffee so. The color of coffee will deposit on the surface of your teeth. So the teeth will look not white. They look dirty. So if you want to bleach your teeth, and then you go to the dentist, usually, they have these two methods. The first one is to do the mechanical polishing. And they remove the color from your teeth. This is the physical way, or we call it the mechanical way. And if you think "I'm a chemist, I don't like the physical way. I want to do the chemical way," the other way is to do tooth bleaching.

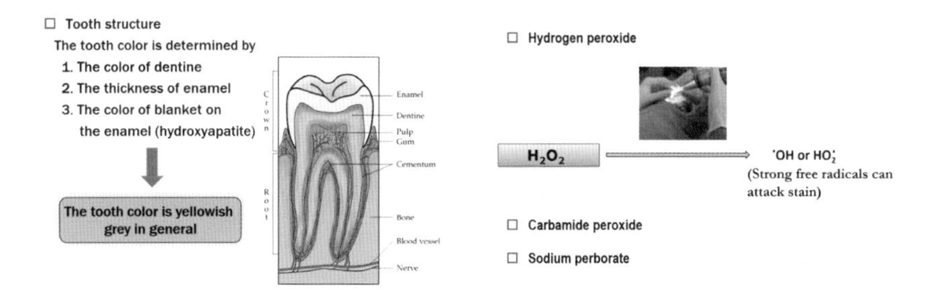

Figure 26　Color of tooth

Figure 27　Bleaching agent

Tooth bleaching is like bleaching your clothes. This makes a reaction that will interact with the color and remove it from the surface. This kind of reaction is what we call a bleaching agent (See Fig.27). This bleaching agent usually contains hydrogen peroxide. Because hydrogen peroxide will generate many free radicals. And these free radicals are very active, so they can interact with the color– with some coffee or some pigment. And then they decompose the color. However, this process is very slow in clinical. So that is why in a clinic, usually they will irradiate UV light to speed up this reaction.

However, this UV light is not good. Please see the Fig.28. It will damage your tissue. So this is what the dentist told me when we had this cooperation. He told me that if your porous material is a very good catalyst, you can catalyze hydrogen peroxide without UV light. Can you do that? So we did some design and synthesis. So I will jump to the conclusion. The conclusion is we put iron, Fe2+, as our reactive site inside the mesoporous silica (See Fig.29). So you can see the index mapping. You will have a very uniform ion inside the silica particle. You can have a lot.

And then we used this as a catalyst for tooth bleaching. We designed this way to do the tooth bleaching. First, we put all the tooth samples into a dye solution as shown in the Fig.30. This is orange II dye. So we put the tooth into the dye solution so the tooth will become orange. And then we do the

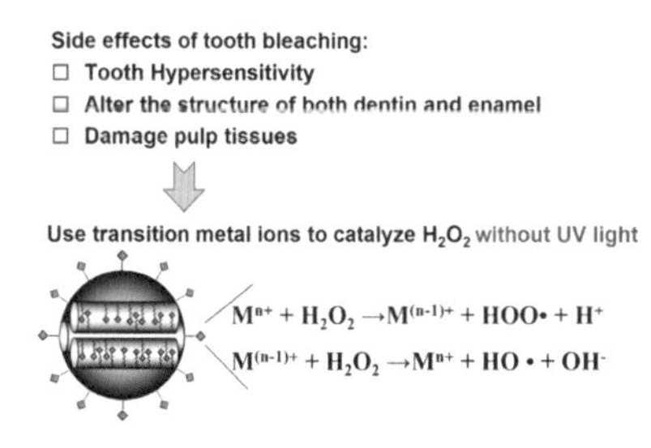

Figure 28 Objectives of bleaching agents.

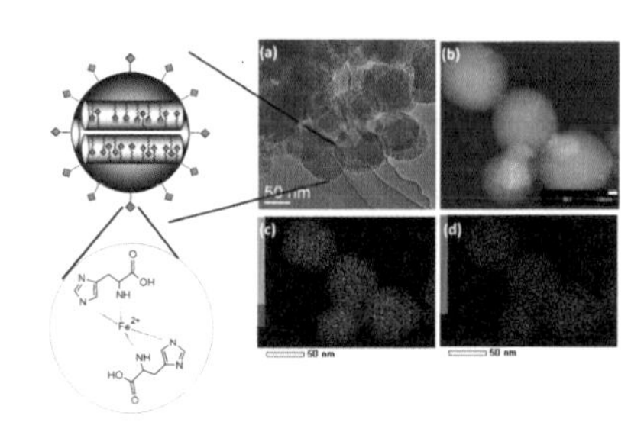

Figure 29 Preparation of metal ion-histidine complex MSN

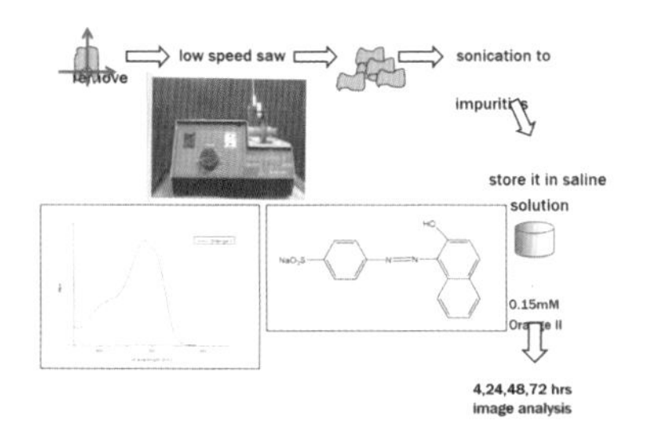

Figure 30 Preparation of tooth samples

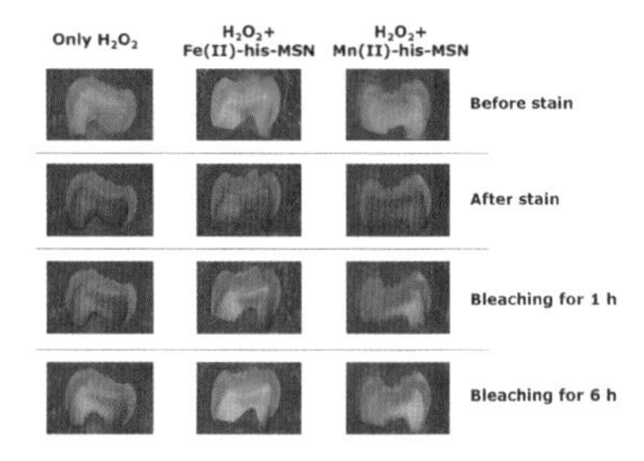

Figure 31 Result: Orange II discoloration in tooth

bleaching. So we change the orange back into white. And then we see how efficient this reaction is. So we use a lot of image analysis techniques to analyze the color of the teeth.

Okay now jump to the conclusion here. So this is the tooth sample we collect (See Fig.31). So this is before the stain, and after stain. You can see the color is orange. And then after bleaching with the different catalyst. This is the only hydrogen peroxide case. This is hydrogen peroxide with our Fe2+ mesoporous silica nanoparticle. We also try magnesium 2, Mn(II).as the comparison. So you can see after bleaching for six hours, this sample almost looks like the original color. As a comparison you can see the only hydrogen peroxide, the color still remains. For MM2+ it's also working but not that efficient. So that means this Fe2+ is the most useful in this study.

We do 200 samples and we have this statistic analysis showing the enamel layer, the most outside layer of your tooth. The color is very apparent so the decoloration is very significantly different, in this study as shown in the Fig.32.

If you want to understand the science details, I will come back to the slide shown in the Fig.33. We also studied why Fe2+ is quite useful in this study, We studied this for six years and then we transferred this technology to a company. The company put our catalyst into a toothpaste. They are thinking when you do the tooth brushing you put the toothpaste on the brush, and when you brush your teeth, you can also do the bleaching at the same time. So they hired this beautiful lady to promote this commercial product. So we transferred this technology already to a company and then now they are in the market.

Finally, I will talk about the macroporous material (See Fig.2 right). How we do the synthesis of macroporous material. Because with macroporous material, the pore size is very large, 50 nanometers, synthesizing this large porous material with ordered structures is very difficult. Because even if you use a surfactant, when the surfactant size is huge, it is difficult to remain, to keep the ordered structure. So usually in science, this is very difficult. So we

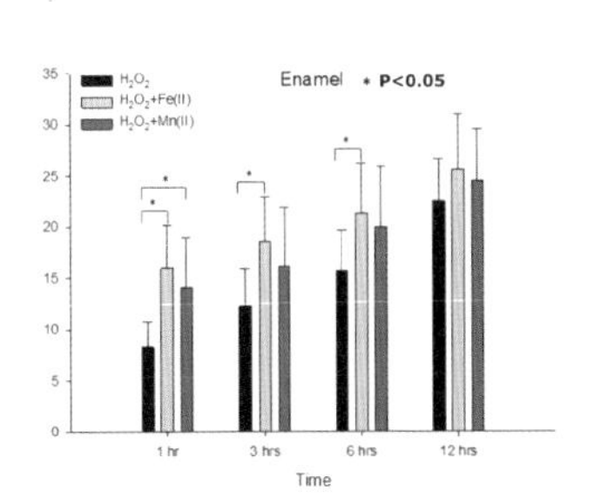

Figure 32 Result: Orange II discoloration in enamel

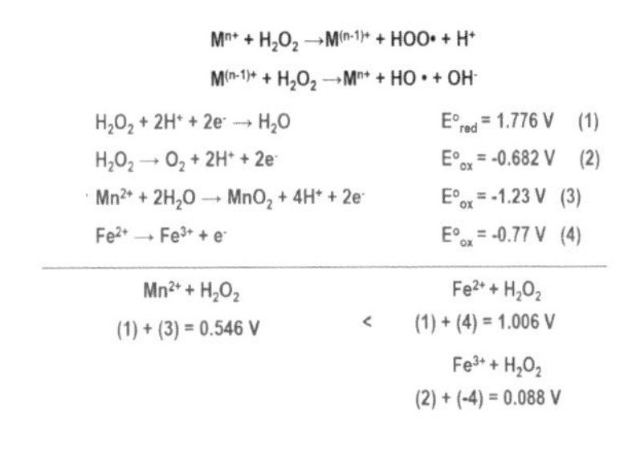

Figure 33 Mechanism: Fenton reaction

used another strategy. We don't use organic surfactant as the template. We use a hard-template process. Please see the Fig.34. I use this as an example. I think everyone plays billiards as a kid. When you play billiards, you have to align these balls in order. And then when the balls are large, you can find some interspace between these two balls, right?

So this is the way we synthesize macroporous material because we also use a rigid silica particle as the ball. And then we put another precursor to fill this interspace. And then you remove this ball. Then this position will become a pore. And this pore is very huge, a macropore. This is the idea we synthesize macroporous material. This silica nanoparticle, as I mentioned, is the pore. They will align very well. And between these two pores, we put the carbon precursor. This carbon precursor is in black. It will remain here. When you remove the silica, this position will become the macropore, and then carbon will remain. So in the end you will have this so-called macroporous carbon. This is the idea. So these two SEM images show two different structures. This is the silica particle aligned very well. And then after you remove the silica, you can see the macroporous carbon.

So this is the so-called hard-template process. So in my group, we also adopt this concept together with the microemulsion process. What's

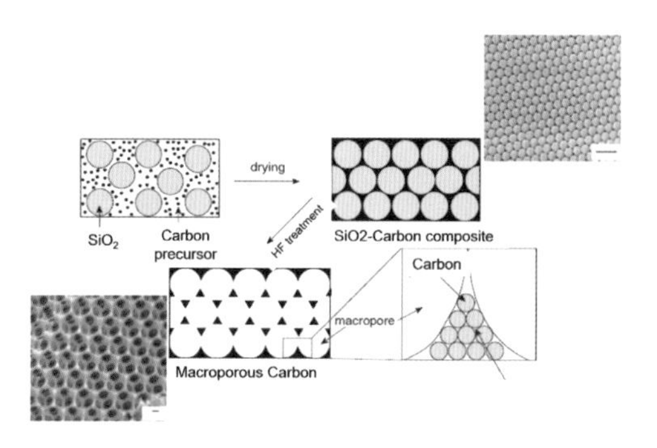

Figure 34 Synthesis of macroporous materials: like playing billiard pool

microemulsion? Microemulsion is a water droplet in oil. You know water and oil will separate. Because silica is hydrophilic. They will stay inside the water droplet. They will not go to the oil phase. They will stay here. Then when you gradually remove water this silica ball will start aggregating together and then finally you will have this huge silica ball as shown in the Fig.35. This diameter is about 20 microns. Inside this silica ball, you will see a lot of silica nanoparticles aligned.

Remember, I want to fill the interspace with the carbon source. So after that, I remove the silica then create a macroporous material as shown in the Fig.36. And then when you enlarge this part, you can see this is macropore. The framework is carbon. Please see the Fig.37.

Interestingly, we found this final product not only has macropore, but they also have mesopore. On the window side, they have mesopores. But we even enlarge, using high-resolution TEM to see the structure, to see the framework. We even find many micropores. So by accident, we synthesized a material with macropores mesopores and micropores. So we have these three different kinds of pores in one particle.

So why this particle is useful? Please see the Fig.38. From micro, meso, to macro, we call this the hierarchical structure. For example, a city. If you

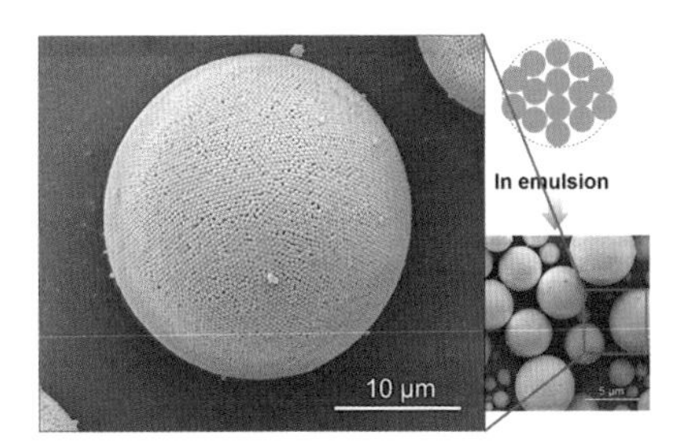

Figure 35 Particle assembly driven in emulsion droplet

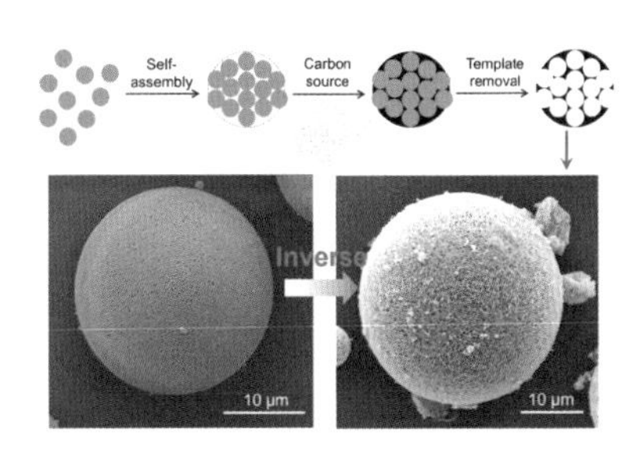

Figure 36 Macroporous carbon microballs

want this city to be fully utilized you need a highway. The highway is like our macropore. You need a large size that can allow a lot of cars to go inside. At the same time, you also need micropores, small pores, you need streets, to increase the surface area. So if your particle has these three different pore sizes at the same time, you can actually have a lot of advantages. Huge surface area but also very good accessibility because of the macropore. That is why we are thinking this hierarchical porous carbon is quite useful in this case.

We use this carbon as the material for electrochemistry. Please see the Fig.39. Maybe some of you know, for batteries, carbon is a very good material for electrodes. So unlike conventional carbon, they use active carbon. We use hierarchical porous carbon in the application. And then we use this carbon electrode in the special application called capacitive deionization, CDI. Maybe some of you know the capacitor. A capacitor is a device to separate electrodes. This is quite a similar concept. When you use carbon as the electrode and then you put the current here, potential here, and then you have wastewater containing different charge… Unlike electron , we can also separate different charges of ions. So this positive charge ion cation will go to the negative electrode. The negative charge ion will go to the positive charge ion. So for example when you have the wastewater containing different change ion, after you have this CDI treatment, when water goes out, there will be no charge

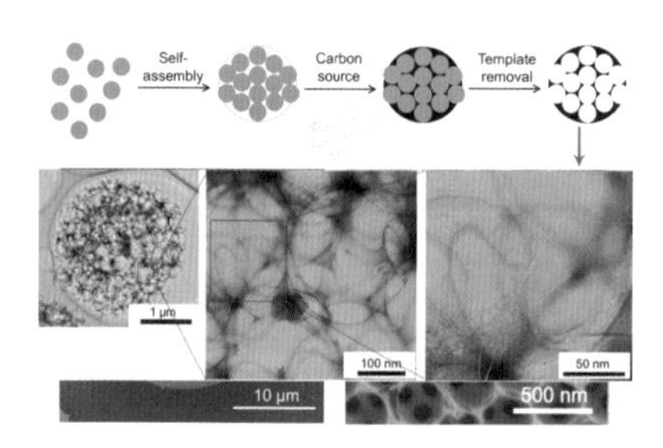

Figure 37 Macroporous carbon microballs

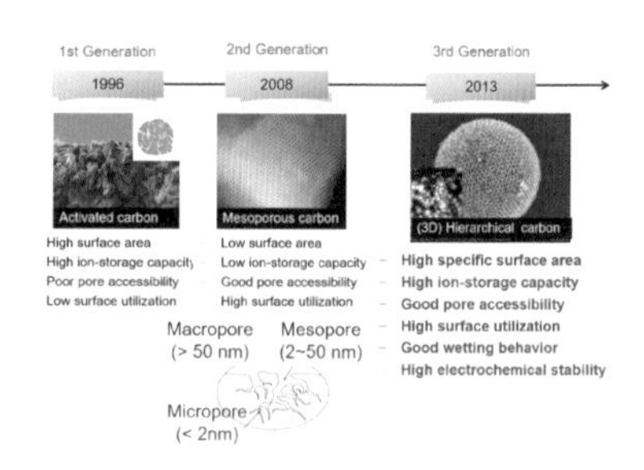

Figure 38 Potential Electrode for Electrochemical Applications

ion in the water. So we use this CDI technology to purify the water. So this is a very advanced technology in water treatment industry. Everyone knows one of the SDGs is to have clean water. Also in Taiwan, sometimes you have this wastewater problem in real rivers. So we want to remove all of these toxic or poison metal ions. I will not go into detail. If you are interested I can come back. But I just want to tell you that we used our hierarchical porous carbon as the electrode in this CDI device and then we can have much better efficiency than active carbon. So the electrosorption capacity is much much higher than conventional active carbon.

Now, since I am in chemical engineering, we are not only working on a small scale we are also trying to scale up our device. The Fig.41 is indicating the process of our macroporous – actually, hierarchical porous carbon in black.

Then we do a casting on a substrate, and then we make this layer, and then you can have many many layers. We make this as a whole device. And please see the Fig.42. From a small unit, we can have this stack, and then prototype, and then we already have this industry prototype. This device is already in the industry, and in real-time we are checking the efficiency of the deionization capacity. And also this work has been highlighted by most of Taiwan and also highlighted in some news as shown in the Fig.43. And this is the start-up company by my cooperator, professor Ho, and his student, also

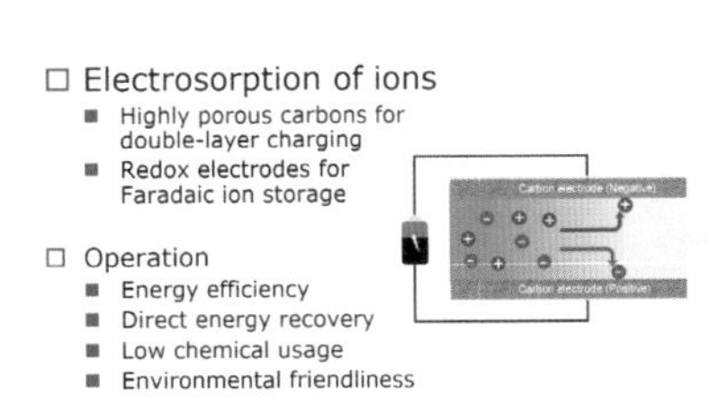

Figure 39　Capacitive Deionization (CDI)

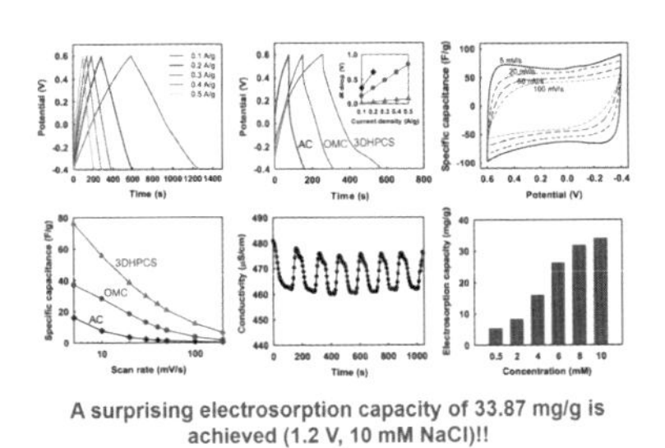

Figure 40　Electrosorption capacity of CDI device

one of my students, Power Pure company.

In conclusion, I hope this one-hour lecture can convince you this nanoporous material– no matter micropore, mesopore, or macropore– they are all very useful. And in my group, in my study, we have been applying this functional porous material for many many applications as shown in the Fig.44.

So today I talked about pervaporation and some biomass conversion, some tooth bleaching applications, and they are actually also quite useful in other applications. So I think it depends on what kind of field you are studying

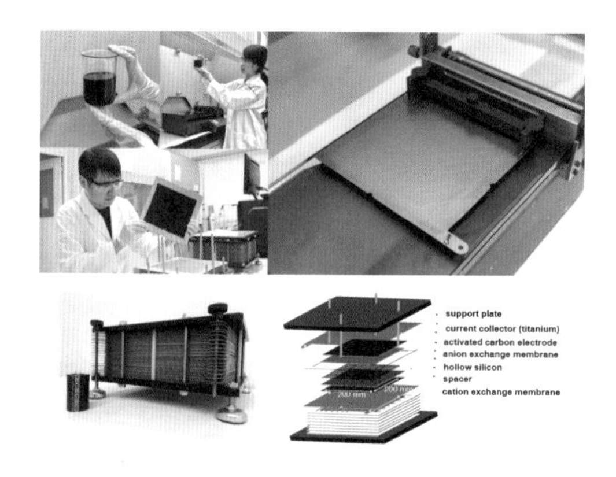

Figure 41 Preparation of macroporous carbon as the CDI electrode

Figure 42 From lab-scale to industry-scale

Figure 43 Press release & start-up company

now. And if you think a porous material can also be useful in your application, you are welcome to try it.

Finally, because of our recent contribution to the heterogeneous catalyst energy device biomass conversion, I was lucky to be selected as one of the ACS Sustainable Chemistry & Engineering Lectureship awards in 2019. Sometimes when our work was selected in a journal, the reviewer will suggest our work as the cover. I use this opportunity to promote Taiwan and demonstrate that this work was made in Taiwan. I hope someday in the future I can also cooperate with Kobe University.

So this is the end. Finally, I would like to thank the funding agency and also this work is done by my students, not me, so I would also like to express my appreciation to my students. Thank you very much for your attention. Thank you.

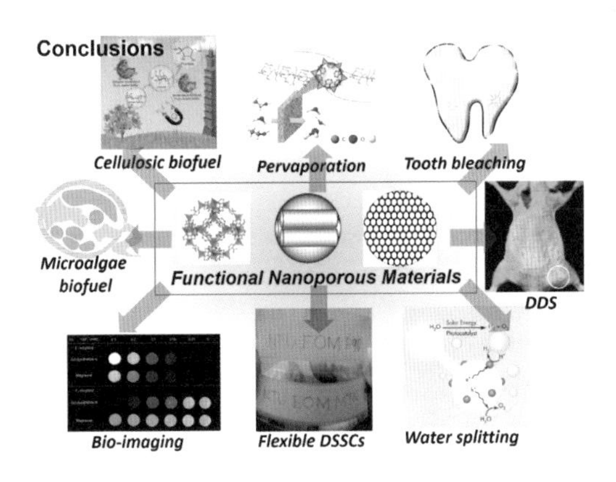

Figure 44 Nanoporous materials and applications

発想段階における光の視覚化

講演者：面出薫先生

照明デザイナー

(株)ライティング プランナーズ アソシエーツ 代表

照明探偵団 団長

主催

神戸大学大学院工学研究科グラフィクスリテラシー教育研究センター

共催

日本図学会関西支部

(一社)日本建築学会 近畿支部光環境部会

(一社)照明学会 関西支部

神戸大学V.School

協賛

(公社)化学工学会SIS部会ダイナミックプロセス応用分科会

みなさん、よろしくお願いします。今日の話の内容を整理すると、次の3つのPartとなります。

Part 1: 建築照明デザインとは？：LPAの照明デザインプロセス
Part 2: 光の視覚化の手練手管：スケッチ・模型・CG解析・アニメーション・現場モックアップ
Part 3: 視覚化しながら進めた9つのLPAプロジェクト

具体的にいただいたテーマは、発想段階における光の視覚化、というもので、照明デザイナーというのはどうやって光を発想しながら、現場の照明をデザインしているのだ、というご質問です。発想段階といっても何も頭の中に思い浮かんだアイディアを出して、それを実現するというのではなくて、非常に細かい仕事もあるので、とりあえず、ここに掲げた私たちLPAという会社のデザインのプロセスをレビューして、照明デザイナーの仕事を理解いただくことをPart1として準備しました。次にPart 2として、一番みなさんが聞きたいところである、どうやって視覚化するのだという私たち照明デザイナーの手練手管みたいなものを説明したいと思います。これは、クライアントにいろいろと説明したり、自分たちが発想して建築家と一緒になっていろいろなことを積み上げていく時に、どんなふうに光のことを伝えていくのか、ということです。スケッチや模型やCG、アニメーションなどで、最終的には現場のモックアップということになりますが、それを紹介します。Part 3として、私自身が今まで手掛けたプロジェクトを紹介させていただき、この中で、こう描いて光を説明したのだよなとか、こういうふうに思ってやったことがずいぶんずれたな、という思い出がたくさんあるので、それらを説明させていただきたいと思います。

一番最初は照明のベースラインについてで、建築照明とはどんなことしているのだということで私たちの会社のことをPRします。

図1は私たちの会社の集合写真で、私が真ん中にます。今、私たちの会社は東京とシンガポールと香港に事務所があり、全体でなんと60人規模の会

図1　株式会社 ライティング プランナーズ アソシエーツの集合写真

社になって、あまり時差のないところで行ったり来たりしながらやっています。アメリカやヨーロッパの仕事も、中南米、中東の仕事もあるのですが、同時に100とか120ぐらいのプロジェクトが進行しています。会社を設立してから31年間仕事を続けていますが、その前に私はヤマギワの研究所に勤めていたので、それを含めると43年間建築照明デザインや都市照明の仕事をしてきたことになります。この中でいろいろな技術が提案され、光源が開発され、コンピューターがどんどん発達してきたりするので、照明デザインにおける提案がいろいろと変わっています。ですので、光の可視化、ビジュアライズするという手法についても、40年前と今とではずいぶん違った手練手管があるということをご紹介するわけです。

ここからがデザインプロセスということで、建築照明デザインでは次の1から6のようにPhaseを追って仕事をしています。

Phase 1: Concept Design
Phase 2: Schematic Design
Phase 3: Design Development
Phase 4: Tender

Phase 5: Site Supervision
Phase 6: Site Commissioning

まずはコンセプトデザインで、一番最初に、どんな光を作るのだということを検討します。それから、照明の手法に関わることを検討します。ディテールになってきて、テンダーというのはいろんな照明メーカーのどこにするのかということです。そしてここから先は現場に入っての検討となります。1から6までのフェーズがあり、その段階、段階でいろいろと光の視覚化があります。どんなふうに視覚化しているのだということの表現は違うのですが、段々にイメージから具体的な光になってくるという段階で、そして絵に描いていたものが、現場で少しずつ実施されていきます。現場に行くと思ったような光が実現されていないので、現場の職人さんや施工する人に頼んで、頭下げてでもいろんな照明実験を現場でくり返す、そういうことになるのです。

一番最初のコンセプトデザインでは、まず現場調査を行います。そして私たちのイメージを語らずに建築家やクライアントからいろいろなことを聞きます。そして、じっくり聞いた後に、ここでコンセプトデザインのスケッチをしたり、模型で実験をしたりしながら、コンセプトデザインのプレゼンテーションまで持っていくということが第一段階です。

現場に行って確認する現場のサーベイは基本的には夜の仕事ですが、私たちは昼も見ることにしています。昼と夜はどのように違うのかということをきちんと現場で見て、現場にできてくる光と周りの光をできるだけわかりやすく頭の中において、最終的には昼はこうなのだけども夜はこうなっていますよ、昼と夜との違いの中でこういうふうにするのですよ、ということをクライアントや建築家とディスカッションします。いろいろな場所によって光のコンディションが違いますので、現場のサーベイは重要です。そして、図2のように様々なスケッチを描きます（図2参照）。

これらをもとに、現場の光環境についてレポートを書きます（図3参照）。

この現場はこのような光に苛まれているので、こんなふうにしなければな

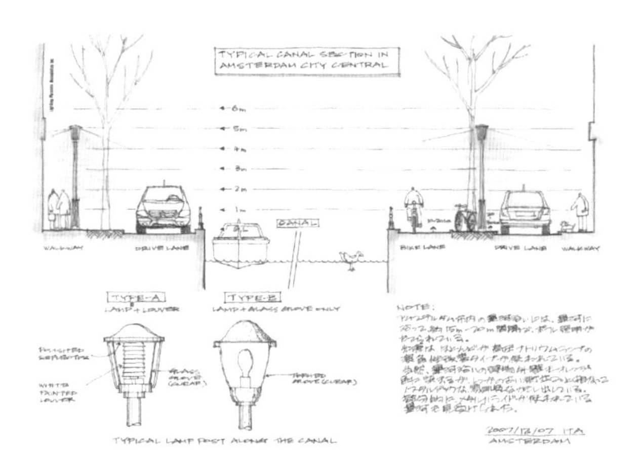

図2　現場の光環境のレポートに用いられたスケッチ

A series of site surveys were conducted to study the existing lighting throughout the island to gain an understanding of the issues to be addressed as well as discover opportunities to be explored for a new lighting masterplan.

ISSUES:
The roundabouts at the intersections are not highlighted adequately to work as focal points. Many of the spotlights are obstructed by shrubs and are therefore ineffective.

OPPORTUNITIES:
The landscape and lighting at the roundabouts can play an important role in wayfinding and making clear the road connections on the island. The colour temperature of the roundabout lighting can be differentiated from that of street lamps so that the roundabouts will be distinguished at night.

ISSUES:
The existing bus and tram stop lighting is inconsistent with a number of different lighting fixtures installed on an ad hoc basis. Most of the fixtures emit light in all directions resulting in glare at some locations.

OPPORTUNITIES:
Glare-free fixtures with enhanced optics can be used for better visual comfort. In addition, landscape around the stops can be highlighted to create focal points and a sense of liveliness. The signage can also be integrated with lighting to make them stand out and therefore easily identified.

図3　現場の光環境のレポートの例

らない、という時は、現場の敷地外の光についても提案します。ここからが、いろいろな建築家とのワークショップです。東京国際フォーラムをデザインしたラファエル・ヴィニオリとは25年かもう少し前に仕事をしましたが、彼は僕たちが描いたスケッチや何かに、またいろいろと自分のスケッチをなぞらえて上に重ねてきます。彼の事務所はニューヨークのマンハッタンにあるのですが、そこに行くと彼らはいろんな模型を使って、東京フォーラムのデザインをしています。またロンドンのガーデンズバイザベイのワークショップでは、最初にいろいろわけのわからないことの溝を埋めてくための会話をしますが、その図面の中で、この人は何を考えているのだろうということを聞きます。OMAのレム・コールハースはロッテルダムの人ですが、CCTVという中国中央電視台本部ビルの模型を目の前にして、彼らが建築のコンセプトを私たちに伝えてくれます。その時に、光はどうするべきかということを考えています。いろいろな形で、最初に建築家と一緒に照明デザインのイメージを詰めていくことになります。最初はじっくりと話を聞くことにしていて、私たちのほうから最初から意見を言わないようにしています。彼らが考えていることが理解できた時に、少しずつスケッチを描いていきます。手描きのスケッチはいろいろなところでたくさん描きますが、断面図で描く場合が多いです。スケッチをしながら、光はどんなふうにあったらいいか、これが夜になったらどうなるか、というようにその現場で考えます。また、手描きのスケッチだけではなく、いろんな図面に対して光を入れ込んだり、パースの中に光を入れたりしています。図4は六本木の鳥瞰的CGイメージで、このように上から見ることはないのですが、光がどのような配置

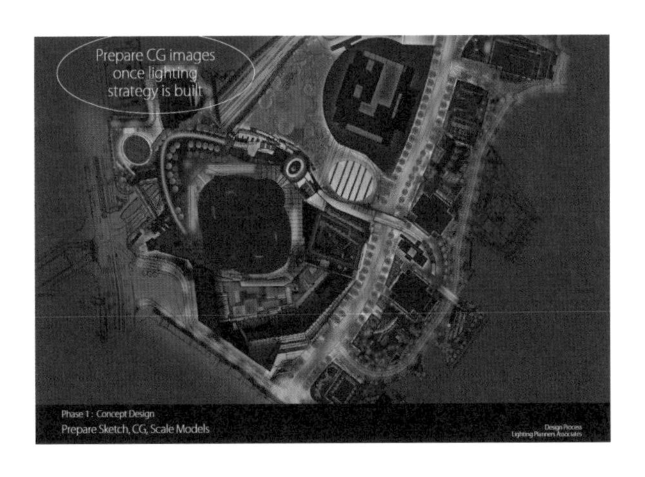

図4　六本木の鳥瞰的CGイメージ

になるかということを描いてあります。

初期的には、コンセプトの段階ではあまりコンピューターに頼った美しい図面は描かないようにしています。私たちが必要以上に労力をそこで使わないようにと心掛けています。図5はとても面白いスケッチで、伊東豊雄さんの傑作であるせんだいメディアテークのスケッチです。

地下1階から6階まで7層に分かれていますが、天井高や機能が違うところに光のコンセプトを変えて対応しています。断面図に光を描くということは、照明デザインのコンセプトを伝えるのにとても有用であると考えています。こういうことを狙っているのだなということが、平面図でなく断面図でわかるということです。このコンセプトの段階で、このように断面図を作ることもスキマティックに入るかもしれません。

図6は、光ファイバーの先端を超高層ビルの模型の頭の部分に差し込んで建築家やクライアントの前でパフォーマンスした時のものです。

今はあまりみんながやらなくなっていますが、やはり光の入った白いペーパーモデルが発想の段階では一番大切だと私は思っています。また、それを

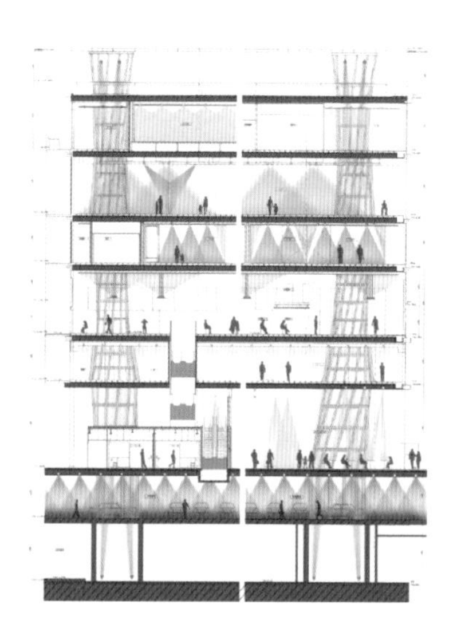

図5　せんだいメディアテークのスケッチ

見てからどういうふうにしようかと考えることで、いろいろな問題がそれを見ながら解決できると思っています。

コンセプトプレゼンテーションは、私たちだけが一方的に何かするのではなく私たちが考えていることを伝えるもので、クライアントに対してコンセプトは本当にこれでいいか、ということを確認します。たくさんCGや手描きで図を作成し、この段階で自由に発想しながら、これはやりたくないとかこれは駄目だとかということはたくさんありますが、自由に提案します。

コンセプトが終わると、次はスキマティックデザインで、どういう照明手法にしたらいいかという検討です。コンセプトを実現するためにはいろいろな照明手法があります。図7は、JR京都駅の時に描いたコンセプトというかスキマティックです。この図は、京都駅のコンコース下に高さ60 mの高いところからどういう光の座布団を敷きますか、ということを検討した図面です。光の座布団みたいな小さな光をいっぱい寄り集めて作りましょう、というのが京都駅でした。図8は東京国際フォーラムの輝度分布と照度分布です。このときには大林組だと思うのですが、25年前ですからコンピュータが出始めだったので、重いデータを入れて処理したものです。こういう解析を行うためにずいぶん時間がかかりましたが、今はうちの社員が短時間で処

図6　ビルの模型に光ファイバーを差し込んで検討を行った例

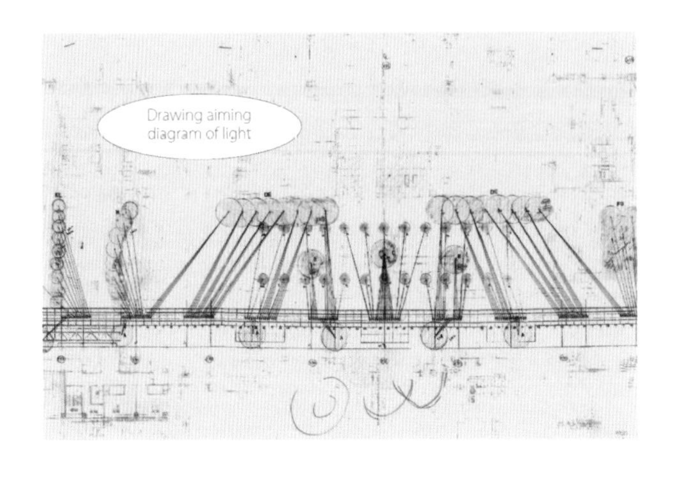

図7　JR京都駅の照明手法の検討例

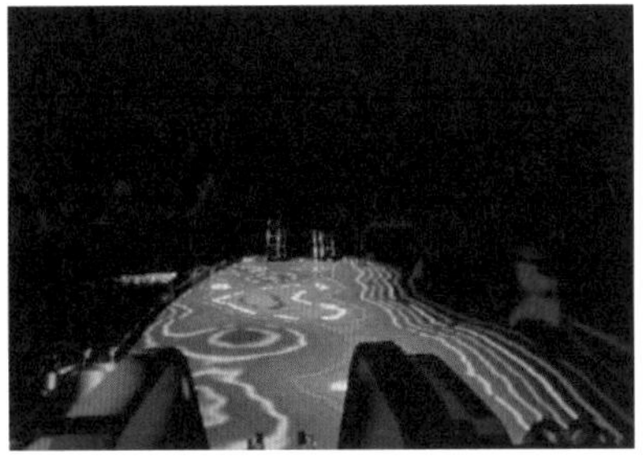

図8　東京国際フォーラムの輝度分布（左）と照度分布（右）

理しています。40年前は照度の計算は手でやっていましたが、少なくてもこのような照度分布は出していました。私たちは、光のデザインというのは時間のデザインだと思っています。ですから、時間を視覚化するというのは、光が移ろいでいくということなので、非常に大切なテーマで、私たちの時計は12時間ではなく、24時間の時計を使います。

スキマティックデザインの次がデザインデベロップメントですが、これは実施設計で、シミュレーションが厳しくなり、コストの計算も必要で、今までのいろいろな夢を一本化する段階となります。図9は照度の計算結果ですが、こういうものは後に残るもので、ここで示されたことができていないと私たちは後で瑕疵責任が問われることになります。

スポットライトでも、光を横に伸ばすような実験をするなど、今ある光を特別に細工しながら、カスタムメイドの特別な光を作っていきます。その細工が本当にできるのかどうかというのは、この実施設計の中で実証されて確認されていくことになります。最終的に実施設計図面（図10参照）というパッケージができて、計算されたコストに応じてデザインを再検討するプロセスもあります。

4つめがテンダーのプロセスで、最終的に照明メーカーや施工する人を決めるための作業です。日本ではゼネコンが非常にしっかりしているので、テンダーのプロセスで照明デザイナーが時間を割くことはほとんどなく進むことが多いです。シンガポールや香港、中国、アメリカ、ヨーロッパでも必ずテンダーというプロセスがあり、かなり時間をかけています。そのテンダー用のパッケージというのは非常に細かいもので、照明の品質を約束するための仕様が記されています。私たちが考えている照明デザインの光の秘密というのはこういうものですよ、みなさんよく聞いてください、これに合うものでなければ私たちは認めません、ということです。このテンダーパッケージ

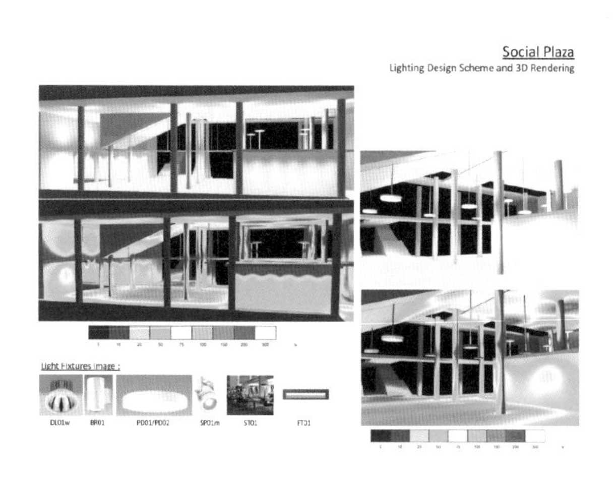

図9　照度の計算結果の例

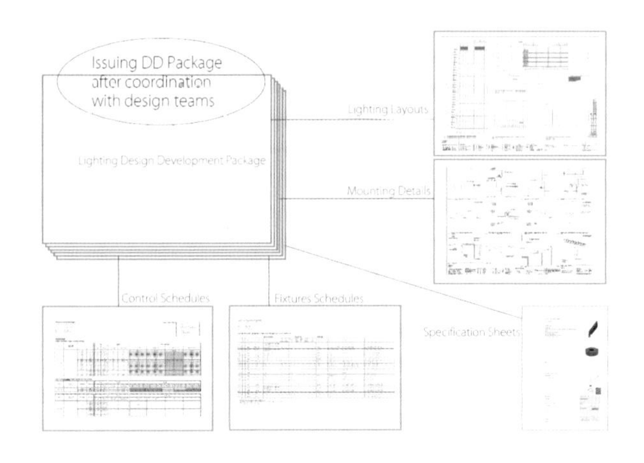

図10　実施設計図面の例

をもとに、照明のサプライヤーとか照明の企業、器具を制作する会社を集めてブリーフィングをします。そこの人たちがいろいろと質問して、私たちがスペックした図面を自分たちの技術でもっと何か違うものに置き換えようとすることがあります。私たちはそれを許容できる範囲で評価しながら、テンダーの中でのメーカーなり、サプライヤーを決めていきます。そして、そこから先のことは電気設備設計者に渡して、照明デザイナーの意図を電気図面、施工図面に落としてもらうことになります。そして建築インテリアはそれをディテールの図面に落とすことになります。

テンダーのプロセスで最終的に1社がそこで決まり、そこからは現場の監理、サイトスーパービジョンです。実は、私は今日言いたいのは、本当は光というのは視覚化をするということの前戯あるいは手練手管はたくさんあるのですが、やはり光の品質は現場で決まっていく、ということです。現場の施工図の承認やサイトモックアップテストというのは、現場で職人さんに頭下げながら光をテストするものです。そして最終的にそれを調整して整える、この作業が非常に大切です。これはビジネスですから、自分に都合のいい作り方をしてくる人もいるので、私たちは工場に行ってそこで相談に応じることもあります。また、いろいろな特注器具をデザインしたい建築家もたくさ

図11　東京国際フォーラムの光壁のモックアップを使った検討

んいるので、そういう形のあるものに対しても、モックアップというものを作ってそれをテストします。図11は東京国際フォーラムの光壁のモックアップを作って検討しているところです。

25年も前ですから白熱ミニクリプトンのランプでやっていましたが、今はもうLEDに変わっているでしょう。

細かい話ですが、光の視覚化というのは要するに、こんなところに光を与えたくないのでもう少しずらしなさい。このようにしなくてはならないから小分けしなさい、というような細かい指示を現場で出すことになります。

そして最後のサイトコミッショニングのプロセスです。コミッショニングというのは、完了前の最後のディフェクトチェックのことです。図12は東京国際フォーラムでのディフェクトチェックの様子です。

不具合は必ず存在するので、これはだめですよ、直さなくてはいけませんよ、という一覧表を作っています。これでいいですか、こんな光の動きになりますよ、ということをクライアントに説明しています。六本木ヒルズでは、森稔社長にオープンの1週間前に呼び出されて、「面出さん、これはちょっと暗すぎるよね」と質問があり、「いやでも社長、今さら私にやめろと言っても困るでしょう。あと3か月待ってもらったらけやき通りの店舗の照明が

図12　東京国際フォーラムでのディフェクトチェックの様子

全部整うのでもう少し待ってください、六本木ヒルズ平気です」という説明をしました。最終的にオープンを迎えて森社長も幸せそうな顔をしてくれたのでよかったです。また、東京駅のライトアップでは、うちの社員なども含めて夜なべしてセッティングを行いましたが現場の人と仲よくならなければ、照明デザインは完成しないということです。

ここからはPart 2で、光の視覚化ということについて私が考えていることを紹介します。この後程CGの部分は、うちの社員である高橋翔作さんにCGでできることや私たちがやっている手練手管を紹介してもらいます。

デザインの発想段階による光のイメージは思い出の中にあります。抽象的な言い方ですが、やはり自分が今まで世界中のよい建築を見た時に、そこにはよい光が必ずあります。それは照明デザイナーがやった技ではないですが、建築がとてもいい雰囲気を出している時にはやはり光がうまく整っていて、それが良質な思い出となります。自分の良質な思い出を、感動したことを、しっかり記憶し消化することが大切です。私たちはクライアントからどうなのか必ず聞かれるし、そこを使って生活する人が満足しなければなりません。ですので、私たちは正しく発想した光の予想を的中させないといけません。そのために、コミュニケーションの手段として、私たちは様々な手練手管を使います。

私の場合には手描きのスケッチをたくさん描きます。そして、白い紙による模型に光を入れます。ここまでは私たちのジェネレーションが信頼しているものです。ただここから先の話というのはもう発展が著しく、東京国際フォーラムの時の25年前のCGの時代とは全然違ってきています。今やCGは普通の学生でも使うものとなり、CGで照明をシミュレーションすることになってきて、非常に正しく予想することがコンピューターによって可能となりました。しかし、そういうことだけではなくて、光のデザインは時間のデザインですよ、と豪語しているので、どのように光が移り変わるのですか、ということの説明のためにアニメーションを作ることも非常に大切です。ということで、私たちの照明デザインというビジネスの中ではほとんど不可欠になってきているCGシミュレーションについても説明します。発想段階の視覚化したCGの絵を持って、仕上がった現場に立つときには非常に緊張感を持っています。例えば、東京駅の400mの外観ですが、一番最初に描いた絵はクライアントに渡っていて、「面出さんこんなふうにできるのですか、いいですね」、ということを担保してしまっているので、私自身は描いた絵を持って、現場ができ上がった時に、描いた絵と実際できたのはここが違っている、合っている、ということに一喜一憂するわけです。そんな前提がありながら、私が手描きで描いているスケッチを少しお見せします。21-21DESIGN SITEというギャラリーで開催された「㊙展 めったに見られないデザイナー達の原画」という展覧会はご存知ですか。これは面白いテーマの展覧会で、いろいろなタイプのデザイナーが自分の原画を出しているものです。図13はその会場の様子で、私は東京駅の模型の中に光を入れるとこんなことになる、ということを伝える展示を行っています。

図14は、光を自分で発想したりクライアントに伝えた時に描いた絵で、東京デザインセンターの時のものです。

光というのは絵で描くのですが文字でも語ります。光を文字で語るということはとても大切なことだろうと思います。

ここから先はみなさんに、私たちの会社LPAにおけるコンピュータグラ

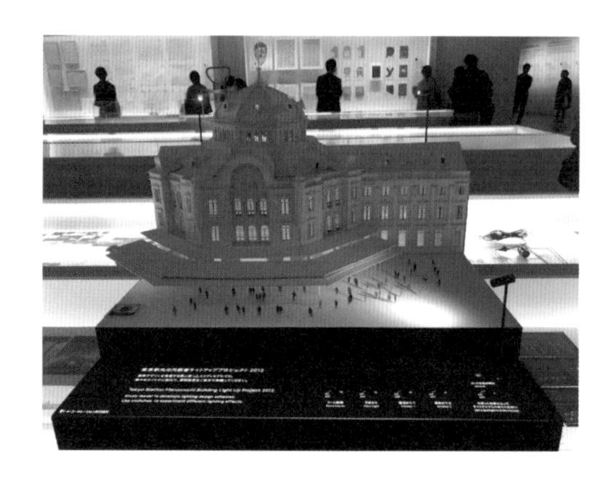

図13　「㊙展 めったに見られないデザイナー達の原画」における東京駅の模型

図14　東京デザインセンターとその他光のイメージ図

フィクスを使った実例として、LPAの高橋さんの仕事をお見せします。照明デザイナーとしてはCGには3つの要素があります。1番目はプレゼンテーションで、これはクライアントが、よしこれで行こう、と判断するための絵です。2番目は照明効果のシミュレーションですが、面出さんは照度分布だってこれくらいでいいなどと大雑把なこと言っているけども、私たちはもう少し細かくちゃんとしたデータに基づいて出します、ということをうちのスタッフは必ず言います。今までは外注でシミュレーションをしていましたが、そのうちにみんなが簡単にできるようになり、しかも昼光利用の効果まで見ることができるようになりました。昼間の光というのは、世界中のどこで太陽がどうまわるか、ということを考えながら評価する必要があります。昼光だけではなくて、それと人工の光をどのようにうまく合わせるのかという点が一番難しいところです。最終的には、それを数値化しこれを担保するということです。その後はモデリングで、私は今でも紙を使った模型を使いますが、今はほとんどの建築設計事務所が3DのCADでモデリングをしていて、中で動かして説明してくれます。

それでこの後は、高橋さんのプレゼンテーションを今から12分お見せします。

（ここからLPA高橋翔作さま）

では私からは、今現在照明をビジュアライズするために設計で用いている主なソフトウェアをご紹介します。照明のビジュアライズを行うためのソフトは建築のレンダリングソフトなどを含めると多々ありますが、弊社では主に3種類を用いています。1つ目のPhotoshopは2次元のソフトウェアで、ある種、絵をコンピューター上で描くような使い方をしています。2つ目のDIALUXは3Dの建築モデルを用いるソフトウェアで、照明の検討確認に特化したものになります。そして3つ目のLUMIONは照明だけなく、建築設計やインテリアデザインを含めても使われている3Dビジュアライゼーションソフトウェアになります。それぞれの用途・特徴を説明させていただきます。まずPhotoshopですが、インテリアのパースに照明のレタッチをする場合などに用います。照明デザインでの使い方としては、建築家やインテリアデザイナーから受け取ったパースや図面に光を描きこみ、昼のシーンから夜のシーンに描き変えるというような使い方が主になります。必要な場所に光や影、素材感を描き込むことができます。クライアントへのプレゼンテーションや他のコンサルタントとの打ち合わせに見せる絵を作成するために用いることが多いです。手で描く絵にうまい下手があるように、Photoshopでもやはり製作者のスキルによる部分が少なくなく、光がどのように反射拡散してどのような影を作るのか、さらに光に対する理解度も必要になります。しかし、3Dレンダリングで必要な細かい設定や操作が不要であるため、最も手軽で仕上がりが早いという特徴があります。どのような照明計画にするのかの説明のために平面図や立面図に光を描くことも多く、図的に表現できるのは3Dソフトとは異なる部分として挙げられます。3Dパースは空間のイメージはつかみやすいですが、平面図や立面図を用いたグラフィックはどこにどのような要素があるのかを俯瞰して見ることができるため、3Dのパースと比べて、より効果的に全体の照明計画を説明することができます。また初期的なコンセプトの段階では、このようなスケッチをベースに照明計画を進める必要がある場合もあり、インテリアデザイナーから受け取ったスケッチをそのまま下絵として、どこにどのような光が必要かを1枚の絵として仕上げることもあります。このようなスケッチを用いた表現も3DのソフトではできないPhotoshopの強みと言えると思います。また、3Dのソフトでレンダリングされたパースをもとに、Photoshop上でレタッチを行って夜景のシーンに変更することもあり、Photoshopでも丁寧な操作を行えば、3Dのソフトのレンダリングと遜色のないパースを描くことができます。ただ丁寧に描く分、時間がかかり、実際このレンダリング1枚に1日以上かけていたと思います。ですので、3Dのソフトを用いてレンダリングするかPhotoshopを使うか、場合によって判断しているのが現状になります。

次にDIALUXというソフトウェアについて説明します。これは照明専用のソフトウェアで、照明業界では世界的に広く使われているソフトです。3Dで照明シミュレーションを行うためのソフトで、実際の照明器具の配光データを用いて、照明の効果や検証に特化しています。このソフトはきれいなグラフィックを作るというよりは、計画された照明デザインが実際にどのぐらいの明るさになるのかの確認や、複雑な形状の建築に対して意図した照明効果を得ることができるのかの確認に用いることが主な用途になります。正確なシミュレーション結果を得るために、素材の反射率や照度の計算面などの細かい設定や、実際の照明器具のデータの収集など、比較的シミュレーションに時間はかかりますが、その分、照明デザインに関して言えば、とても説得力のあるデータを作成することが可能です。例えば、トンネル形の空間の壁面に無数の花形のオブジェが取り付いていて、それをライン形の照明でアップライトするプロジェクトがありました。この場合、照明器具の微妙な位置の違いでオブジェに対する影のでき方や光の当たり方が大きく変わります。そこで、DIALUX上で複数のパターンを計算して、最も適切な照明の納まりと照明器具を提案しました。照度や輝度を数字としてパース化することもできるため、きれいなパースの印象だけでなく、数値を用いて実際にどの光が適切かを説明することが可能です。また先ほどの例は照明の効果の確認でしたが、用いている照明器具と設計で十分な明るさが取れているのかを確認するために、JISや海外の照度基準と照らし合わせてDIALUX上で確認することも多いです。さらに、自然光のシミュレーションも同時にすることが少なくなく、プロジェクトの位置情報を設定して季節ごとの光の入り方、影のでき方をシミュレーションして、それに対する適切な照明計画を行っています。場合によっては、よりよい昼光へのデザインアイディアを建築家へ提案することもあります。同時に複雑な形状の建築に対しても、実際に収まる位置に実際の照明器具のデータを配置して、光の効果を確認することができるため、3Dのパースとしてのクオリティはそこまで高くなくても、実際にできる光環境と比較的近いグラフィックを描き出すことができ、意図した光環境になっているかについての確認と検討にDIALUXが用いられています。DIALUXは反射を含めた照明計算を細かく行っているため、建築の規模が大きくなるほど相応にレンダリングの時間も長くなりますが、その分正確な光を計算できるという特徴があります。

最後にLUMIONについて説明します。このソフトも3Dのレンダリングソフトですが、先ほどのDIALUXとは異なり、照明デザインだけでなく、建築やインテリアデザインなど幅広く使われています。そのためでDIALUXのように、照度や輝度など、光の数値化をすることができず、照明の計算もそこまで正確でない場合もあります。その代わり、3Dのレンダリングソフトとしては比較的簡単に印象的なグラフィックを作成できるという特徴があります。ですので、意図するデザインをクライアントに通すために美しく印象的なCGを作成したい時などに用いています。比較的Photoshopと近い使い方をしています。また、元々コンピューターゲームに使われていたソフトウェアということもあり、レンダリングされた3Dをもとにアニメーションを作成することも得意としているソフトになります。ただPhotoshopと異なり、コンピューター上で最適な素材感や影、光が計算されるため、特別なスキルや光への理解がそこまでなくても、簡単に美しいグラフィックを作成することは可能です。高いクオリティのグラフィックを作成しようとすると相当の時間はかかりますが、Photoshopと違って3Dでレンダリングするため、一度作成すればアングルを自由に変更できるという自由さがあります。Photoshopは1枚の絵ごとに作成するため、アングルが変わるごとに0から描き直す必要があります。簡単にきれいなCGを作成できるというのが最大の特徴で、デザインの案を通す上で説得力のある絵はとても重要ですので、そういう意味でもとても有用性の高いソフトウェアだと考えています。簡単にアニメーションを作成することもでき、用途によっては、静止画と比べてより効果的なプレゼンテーションも可能です。特に近年の大きなプロジェクトではアニメーションを用いたプレゼンテーションが多く見られるようになってきました。照明デザインではアニメーションまでを要求されることはまだあまり多くありませんが、やはり技術の進歩と同時にデザイナーに要求されることも変わってくるため、今後は今以上に必要性が増していくのではないかというふうに感じています。私からは以上になります。ありがとうございました。

（ここから面出薫先生）

高橋さんはうちのシンガポール事務所で働いているのですが、コンピューターの仕組みがかなり進化していて普通に学生でもいろいろなことができるようになってきているので、そのうちにきれいな絵はみんなが描けるようになるのかもしれません。要するにアーティスティックなセンスがなくても、ある程度コンピューターの支援によっていろいろなことができてくるということです。照明デザイナーの世界でも、今までの「面出さんのところはやはりうまくやりますよね」というそういう手練手管はほとんどコンピューターが学習して、LPAスタイルなどというもので自動的に設計してくれるのではないかなというふうに思っています。そこはちょっと怖いなとは思いながら、たぶんそうなるだろう、そうすると私たちは何をすればいいんだということになるので、それも楽しみです。

最後はPart 3ということで、9つのプロジェクトを紹介します。1つ目は東京国際フォーラムです（図15左参照）。このプロジェクトはもう随分古いプロジェクトですけれども、私がLPAを開設してからその3日目に依頼されたという非常に歴史的なプロジェクトです。5日後にはニューヨークの建築家の事務所に飛んでいました。そこで先ほど説明したようにさまざまな人たちがいろいろなことをやっていて、図15右は私が描いた図です。

この一番上のジャイガンティックなストラクチャーは浮いてくるのだろう、浮かすためにはこの2つのステイみたいなものをどうやって表現すればいいのだろう、と考えました。建築照明というのは構造の豊かさというものをきちんと伝えるための技術だと思っていますので、構造設計者の渡辺邦夫さんという方ともいろいろなことを話して、ラファエル・ヴィニオリの構造を考えました。もともと上はトラス構造で考えていたものを全部否定して新しいことをしています。このようにして、照明がどういうふうにあったらいいか検討しました。そして、照明がどういうふうにあったらいいかということで、製作した模型の中に懐中電灯を入れたりしながらいろいろなことをやって、建築的にどのように照らすかということを考えました。そのときのCGとい

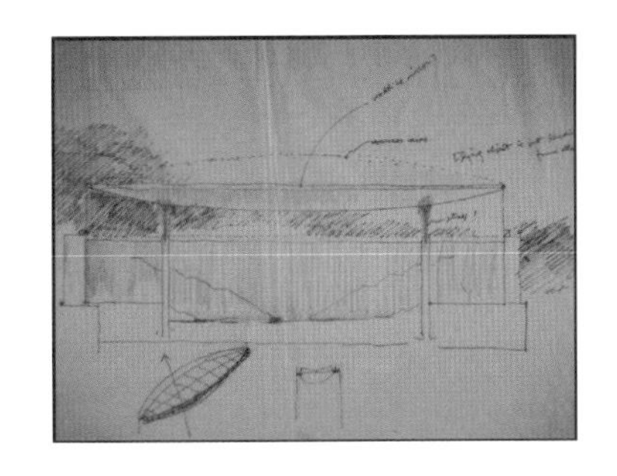

図15　東京国際フォーラムの写真（左）と手描きで描いた図（右）

うのは先ほど申したように、ずいぶん重たいものですし、1個1個こういうものをお願いするとずいぶん時間かかってからアウトプットされてきました。やはり細かい計算というのは時間がかかるのだなと思っていました。ところが今はこういうのが簡単にできるようになりました。

2つ目は、亡くなったザハ・ハディドの都市計画です。シンガポールのOne-northというマスタープランですが、流線形を手掛かりに街全体がだんだんできてくるというザハのプログラムをきちんと光でも考えて行こう、ということになりました。One-northマスタープランの光のコンセプトは「Evolving Nightscape」、要するに進化する夜景というテーマです。都市の夜景は何か決まってすぐにできるものではなくて、だんだん新しい照明技術で塗り替えられながら進化していくものなのだというようなことを考えたので、ザハのほうで描いた図面に対して私たちも光をなぞらえました。どういうふうにそれが進化したらいいかということを絵の中で私たちは語りました。残念なことにザハのこのイメージはあまりに凄すぎて、全体にこのガイドラインができたのですけども、このような街は実現していません。一部下のほうでは、これも亡くなった黒川紀章さんがデザインしたビルなどはザハの計画に従って1つの形を整えています。しかし全体としてはなかなかその通りにはなってません。ただ私たちは光を視覚化するという意味では、都市計画レベルでこのようなことをしました、ということです。

その後に、シンガポール政府が私たちにシンガポールの中心市街地の照明のマスタープランを依頼してきたのです。図16左が一番最初に出した我々のプロポーザルの図です。

シンガポールがこれから30年後に世界一の夜景となり、ニューヨークでもパリでもない赤道直下のアジアを代表する場所となる、そういう都市国家がどういう光になったらいいかということを語っていこうと考えました。そしてシンガポールの5つの中心市街地をピックアップして、細かくいろいろな絵を描きました。図16右は、夜のシンガポールの写真に光を描き加えたものです。何をしたいかというと、人が歩く水際のところは、色温度は低く温かい光でみんなが気持ちよく、カップルが歩けるようにしています。しか

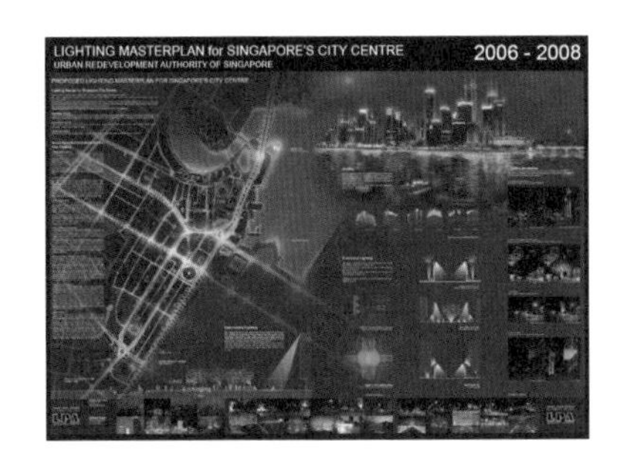

図16　シンガポールの都市計画の光のマスタ－プラン（左）と手描きで光を描き加えた図（右）

し、立体的に高層ビルが立ち上ってくると上部は色温度がだんだん高くなり、一番上では結構青白いような光となっています。こんなことはスカンジナビアの国々では許さなれない話だけども、赤道直下のトロピカルなメトロポリスではこういうことがいいのではないかという提案でした。今できているのものはだんだん最初のイメージに従ってきています。オーチャードというメインのおしゃれな商業地では、その頃は高圧ナトリウムランプで明るく照らしていて、明るく健康的だけれども美しくない、ということで、ナトリウムランプの効果を抑える絵を描いています。こうではなくてこうだというようなことを、私たちはここでたくさん絵を描きながら学習しました。これは先ほど高橋さんの紹介したPhotoshopのようなツールで、絵心がある人がきちんとコンピューターを使って掻きました。このプロジェクトは、その当時シンガポールの大統領から贈られる「President Design of the year」を受賞しました。

続いて京都迎賓館です。京都迎賓館は京都御所の中に作られたもので、日建設計が手塩にかけてデザインしたものですが、和の光を再現しようということをコンセプトにしました。和の光とは何なのかというと、グラデーションであり、または低いところの光だろうとなりました。和の光の5原則という、これの私たちのプレゼンテーションを聞いていただいた建築家の内井昭三さんに、和の光だよねと言っていただきました。和の光を実現するために、私たちは全てこの長押に光ファイバーを使って、ダウンライトでもなんでもすべての照明器具を光ファイバーにしました。それに対してどういう明るさ、どういう輝度があるのか。どのぐらいのグラデーションをきれいにできるのかということを、コンピューターにうまく語らせるのですが、私はそれあんまり信じてないので、実際にここからここまでのグラデーションの幅がとても大切だ、というような現場主義でした。ですから、コンピューターでやることは助けにはなるのだけども、最終的な責任を持つのは現場での自分の眼だということです。現場で、いろいろなグラデーション、きれいなグラデーションなど、やはり私たちが納得するグラデーションを作ることになります。

次は東京駅のライトアップです。これも、100年前のものがこれから2012年に復原されますよ、というプロジェクトでした。ここでは、非常にグラデーションの効いた陰影の濃いもので、光の増量をしない、そういう方向としています。ですから、この絵（図17左参照）を描いた時は、最終的にでき上がった時に私は現場に行って、この絵とでき上がった現場（図17右参照）との差異、誤差みたいなものを自分で陰で確認するのだろうと思っていましたし、そうしました。

実際に、煌々と明るくしないというライトアップができました。もちろんCGでもたくさん描きましたし、和やかな景色というこういうコンセプトでデザインしたわけですが、ここに来るとみんなが幸せになるような和やかな景色を作ることが第一となります。そのためには、コントラストが生かされた景色、グラデーション、素材が必要とする光のサスティナブル照明、オペレーションなどがコンセプトで、いろいろな絵を描きました。私たちは、全部がのぺっとしたもの（図18左の右側参照）ではなくて、下からグラジュアリーな光を作ること（図18左の左側参照）を目指しました。サンセットはこういう様子ですけれど次になるとこれがこういうふうに変わりますよ。こんなふうに変化するのですよ、みなさんお気付きじゃないかもしれないけど1日の中でもやはりいろんな光が少しずつ動いているのですよ（図18右に一部を掲載）、という光環境を作りました。

ドームの頭にも月の満ち欠けを表現するような光が入っていって、時間によって、薄暮の時間から、だんだん遅くなってくると光りが少しずつ変化す

図17　東京駅の夜景イメージパース（左）と完成後の写真（右）

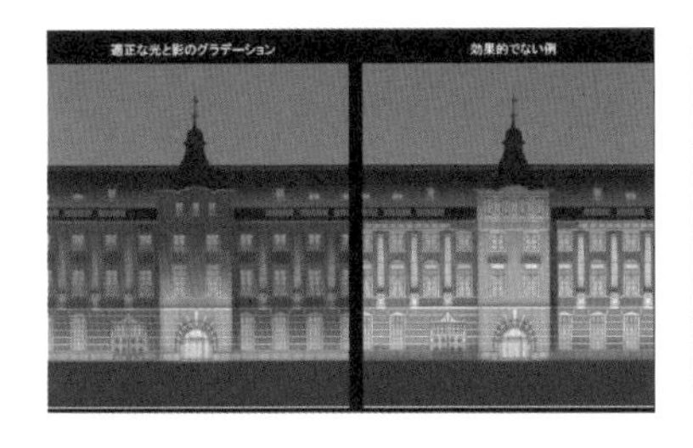

図18　高さ方向のグラデーション（左）と20:40-21:00の様子（右）

るということが仕込まれています（図19左参照）。

ファサード照明（図19右参照）は、私たちは「レンガ壁面ライトアップ」、「意匠柱アップライト」、「メインアーチライトアップ」、「ドーム屋根アップライト」、「スレート屋根リニアアップライト」、「窓明り」の6種類のファサード照明というものが、全体としてうまくでき上がって調和されたときにとてもいいファサードができるはずだ、ということを提案しました。一番最初はレンガ全体のライトアップで、これは100％全部LEDですが、色温度が違ったりワッテージが違ったり、光の強さが違ったりしています。意匠柱ライトアップは、白い花崗岩が埋め込まれているところに異なった照明方式を用いています。また、アーチやドームの上はそれぞれ違うやり方をしています。そして、全体的にスレートという屋根が貼られているのですが、そこにほしい光はレンガに当てる光と全く違ってきます。窓明かりについてですが、多くの場合は照明デザイナーの要望は外から照らす光に関することがメインですから、ビルの中の窓明かりという中から外への光をコントロール

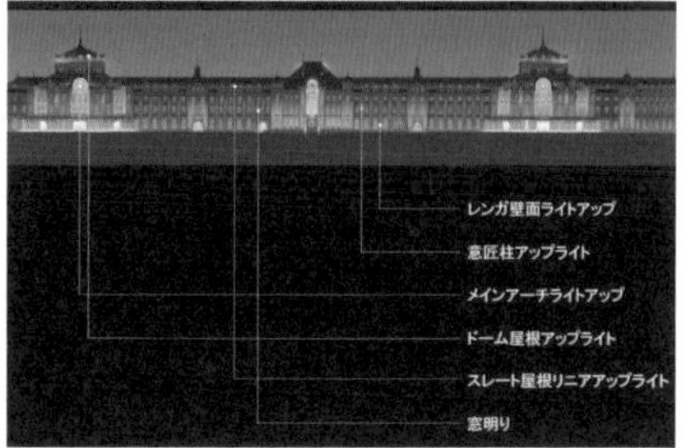

図19　ドーム部分の照明（左）とファサード照明（右）

図20　光の調整のための模型（左）と現場での調整（右）

させてくれという申し出は多分中のホテルも非常にびっくりしたのだろうと思います。でも、この申し出に対応してくれました。この6種類の光が合わさって、しかもエレベーションでのファサードの幅が400メーター近い寸法です、光の強い弱い、強い弱いというリズムが計算されてできています。そして1日のオペレーション、また年間のオペレーションに関してオペレーションダイヤグラムという時間割りを作って、光の調整を重ねてシーンを作っています。そのために一番最初に作ったのが図20（左）の模型で、ここに小さな光ファイバーの光を当てて、ここはもっと強調すべきだとか検討していました。

この時代はCGではなくても模型で検討していますが、今だったらうちの社員も、こんな模型を面出さん作るのですか、ということになってしまいますね。何回も言いますけど、やはりイメージしたものは現場でできてきます。現場に何回も行ってヘルメットを被ることは、照明デザイナーの責任を全うするための大切な仕事なのだと私は思います。現場に行って駄目なことはもちろんみんなで議論しながら、どうしようかということを持ち帰ってやるわけです。そして、もう1回現場に出て検討します。現場の人たちも本当にJR東日本の方や鹿島建設を中心に、いろいろな方が何回にもわたるモックアップのテストを本当によくやっていただきました。図20右は、最後になって、光をどういうふうに調整しようかということをレーザーポインターを持ちながら光を指示している様子です。でき上がった時は、これはちょっと暗いのではないかとか、陰影が強いのではないかなということで、ドキドキしましたが、でき上がったものは、非常にディテールの効いた、今までのエネルギーの半分以下でできるものとなりました（図17右参照）。

次は伊東豊雄さんの岐阜の図書館です（図21左参照）。吊り下げられた巨大なペンダントのようなグローブという器具を設置しましたが、2階の開架閲覧室で細かいテストをたくさんしました。一番最初に描いた絵はCGで描きました。どのようなグローブの光になったらいいかという検討は、モックアップを作ったり、グローブの中の変化する光を数値に置き換えたりしながら、気の遠くなるような仕事を何回も何回もくり返して、みんなと議論しながらいろいろな図表を提出しています（図21右参照）。

照明デザインというのは照明デザイナーだけがやっているのではなく、み

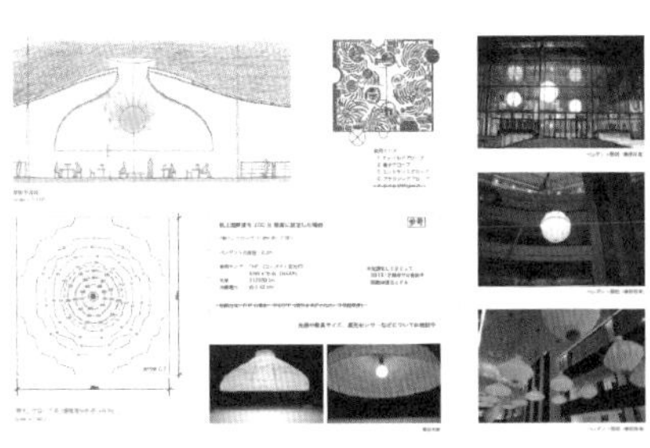

図21　みんなの森ぎふメディアコスモス（左）とグローブの検討例（右）

んなでやっているわけなので、とても手間のかかることがたくさんあります。隈研吾さんが設計した日本橋三越の売り場のインテリアでは、気の遠くなるようなモックアップを何回も作りました。白い森の中に迷い込んだようにということで、白い間接照明をどういうふうに眩しくなく、三越の品格を保って丁寧に作っていくか、ということが課題でした。鉄の曲げたオブジェに対して、光がどのようにあったら変な反射をしないのかということで、最終的にはこれは白塗装なのですけど、3分艶ではなくて2分艶などとんでもない塗装をお願いしました。ここはこうだよね、ああだよねということをくり返しながら、モックアップを工場でやりながら、現場でも何回もやりながら、これじゃあ映り込んでしまうという検討をしました。隈研吾さんもこういうモックアップに何回も立ち会ってもらって一緒になってやっています。建築家も非常にそこに対するこだわりがあったので、非常に細かくこういう作業をくり返しました。

チャンギ空港のジュエルという大きな商業施設では、建築家のモシェ・サフディが、森の中のショッピングと言っているプロジェクトです。全体的に大きなドームの中なので、なかなか難しいプロジェクトでしたが、24時間のダイヤグラムに従って断面図で検討しました。断面図がコンセプトを表すというふうに申し上げましたが、断面図の中で24時間どんなふうに変化したらいいかということを描いています。昼間はデイライトがたくさん入るのですけれども、夜になっても夜光虫みたいなものが現れてきて去っていって、また朝を迎えるというようなプログラムです。それを平面に置き換えたものでも検討を行いました。昼間もいろんな昼間がありますが、昼に照明をつけることもちろんあります。様々なシミュレーションをし、いろいろなことをクライアントから言われ、細かいデータを出しながら、でき上がりました。

最後の長崎夜間景観整備は、私たちの展覧会を見た長崎の市長から手伝ってくれないかという依頼があり、もう5年目に入っています。世界に誇る長崎の夜景をどうやって作るかということです。そうではなくても長崎の夜景はきれいねという話ですが、それは観光客のための俯瞰夜景です。しかし、夜景というのは観光客のためだけではなく、そこに住んでいる人たちみんな

図22　平和公園のライトアップ案（左）と眼鏡橋のライトアップ案（右）

のためにあるわけなので、もう少し丁寧に長崎の街を歩くといろいろなところに個性的な夜景があることがわかりました。あと3日後に長崎の式典がありますけれども、平和公園は夜は真っ暗になっていました。これじゃまずいよね、誰も行かないよね、ということで、こんなふうにしたらどうでしょうかというのが私たちの提案（図22左参照）でした。

今のものをこういうふうにするとこうなるぞ、という絵を私たちはよく描きます。中島川・寺町というエリアには代表的な眼鏡橋というところがあります。ここも昼間は歴史的ないい景色ですが、夜になるとあまり長崎の文化を感じないのではないのということで、丁寧に丁寧に夜景を作っていきました。ここでは、図22右のような提案を行っています。。今でもまだまだ長崎の夜景というのは進化しながら手を入れています。街の中で、夜景というのは上から眺めるだけではなくて、いろいろなところに見どころができるのがよいと思います。私のプレゼンテーションはこれで終わりです。たくさん入れ過ぎましたので忙しかったかもしれませんが、みなさんご清聴ありがとうございました。

5

空間と彫刻
（平面と立体、行ったり来たり）

講演者：JUN TAMBA先生（塚脇淳先生）

彫刻家

神戸大学 名誉教授

主催

神戸大学大学院工学研究科グラフィクスリテラシー教育研究センター

共催

日本図学会関西支部

神戸大学V.School

協賛

（公社）化学工学会SIS部会ダイナミックプロセス応用分科会

はじめに

まず本講演の流れを申し上げますと、最近、私のことを紹介してくれている25分ぐらいのビデオがありまして、それが実によくできているのです。私はずっとロシアと交流をしています。ロシアの交流事業をやっている人が、私のことをできるだけロシアの人たちに紹介しようと、作っていただいたビデオがあります。そのビデオ[1]をまず見てください。それは私の経歴や大きな流れを紹介してくれています。実に見事に編集されているので、ここで話をするときに、それをぜひみなさんに見ていただきたいというのがまず第一点です。その後、本題である最近私がはまっているというか、平面と立体の間を行ったり来たりしながら作品を頭の中でぐるぐる考えているのですけれども、その辺のややこしい、行ったり来たりする頭の中を、できるだけシンプルなかたちで紹介したいというのがここでのテーマです。

私は、1952年、京都府・南丹市生まれ。南丹市は丹波地方の南部。1980年、神戸大学に勤め始めました。現在は、神戸大学で名誉教授という肩書で、大阪芸大でも教鞭をとっています。それ以外に、「丹波・タンボフ交流協会」や淡路島のNPOのプロジェクト（IKUHART企画）にも参画。芸術の裾野を広げる活動を行っています。2015年に自身の作家名をJUN TAMBAに変更しました。本名は塚脇 淳。「丹波（Tamba）」地方を私のアイデンティティと位置付け、JUN TAMBAという名で活動しています。近年では、ロシアなどとも彫刻を通じて交流しています。私は主に、「鉄の彫刻」を作り続けてきました。人は私のことを「鉄の彫刻家」と呼んでいますが、私は鉄で作り出せる「空間」に興味があって、自分は「空間の彫刻家」であると考えています。「空間」を作り出すのに一番都合のいい素材が「鉄」だったのです。

図1は初期に作った代表作です。作品の「フォルム」を作るときに同時に

1　ビデオ「鉄の彫刻家　丹波・タンボフの芸術家たち」
https://youtu.be/z5nzt9R25KM　(2023年12月17日閲覧)

図1　地表より
西宮市大谷記念美術館収蔵

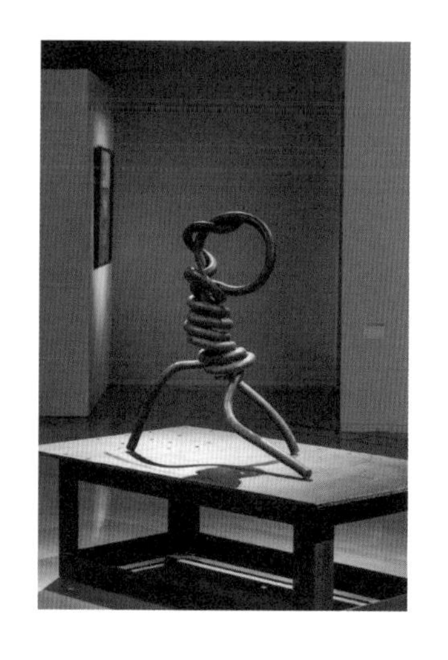

図2　歩く女
BBプラザ美術館拡がる彫刻展
髙嶋清俊 撮影

できる「空間」に非常に興味があります。図2も最近はまっているフォルムですが、これは私には「人が歩いている」ように見えます。体と足と風になびくスカーフ。美しい女性が颯爽と風をきりながら歩いています。ただ鉄をグルグル巻きにしただけじゃないかと思うかもしれませんが、実はそうではないことをわかっていただきたいのです。

抽象芸術とロシア構成主義

20世紀の美術を一言で表すならば、自然を「写す」という表現から、「作る」ことへ美術のテーマが変化した時代です。19世紀末にセザンヌなどが現れ、「作る」という側にシフトしていきます。20世紀は「写す」ことから「作る」ことへ力点を置いた時代です。このことの背景には、抽象芸術という考え方があります。抽象芸術は世界中に広まりました。「抽象」という言葉の意味をみなさんは考えたことがあるでしょうか。「具体的でなく、よくわからない」という意味で「抽象的な表現はやめてください」と言う人が時々います。ですが、その人は「抽象」の意味をよくわかっているのでしょうか。辞書を引くとこう書いてあります。「抽象とは、すべてのものに共通する重要な部分を抜き出して、それについて考え、分析し、論じていくという考え方」です。ですから、「抽象」という言葉は「普遍的な部分を取り出すこと」であり、それは、とても大事な哲学です。そのような考えを通じて作られた作品が、いわゆる「抽象芸術」というものです。20世紀の初めに世界中に広まり、ロシアにも伝わって、「ロシア構成主義」というものにつながっていきます。この考え方をしっかりと理解していなければ、マレーヴィチやタトリンがやったことがよくわかりません。

ロシア構成主義に興味をもったきっかけは、学生の頃、世界中から日本に入ってくる美術情報が掲載された雑誌を見ていて、「ロシアにはこういう新しい動きがあります」という紹介を見た記憶があります。タトリンの「コーナー・レリーフ」は有名な作品ですが、全く具体的なフォルムをしていない。壁にピアノ線が張られていて、そこに板状のものが構成されています。これを見たときに「なんだこれは！？」と思い、当時はよく理解できませんでした。そのあとよくよく考えてみると、私の中にも最近は「造形の哲学」というものがあると思います。その造形哲学は「捨てるだけ捨ててしまって、残ったものを表せ」ということです。この考え方は日本の仏教、禅の教えに由来しており、これを芸術の創作の場に当てはめた場合でも、これは全く適合します。つまり、「余分なものを捨て去って、最後に残った究極のフォルムを造形する」。これは、ものの作り方として、ごく自然なことです。私はそういう言葉を大切にしながら作品を作ってきました。これをロシアの作家に当てはめた場合でも、マレーヴィチが四角いキャンバスに四角い真っ黒な平面を描いたりしています。そういうことを考えると、「究極のかたち」「これ以上ない、どこへも行きようがないかたち」をマレーヴィチは追求していったと思います。このことは、私の考え方と全く同じであると最近は思いますし、ずっとロシア構成主義を考えてくる中で、それはより明確になってきたと思います。

図3　地上より
兵庫県三田市城山公園

自作について　構成主義的抽象彫刻

私が最初に「これは自分の作品だ」と自覚した初期の代表作「地表より」（図１参照）は、地面に置かれたときにちょうど地面との間に隙間ができます。この隙間が大事です。地表からグッと立ち上がって、今まさに動き始めようとする姿を表しています。これが私のデビュー作です。この作品は1982年のエンバ賞美術展に出品し、優秀賞をいただきました。そのことが私を励ましてくれました。次の作品は「地上より」という作品です（図3参照）。図1の作品「地表より」は地表から立ち上がるという作品で、図3の作品「地上より」は、まずグラウンドがあって、グラウンドの上から立ち上がる。つまり、先ほど地表からほんのちょっと立ち上がったものが、今度はもう少し高くなっていく。「地表より」と「地上より」の微妙なニュアンスの違いを、それぞれタイトルにしています。この作品は、兵庫県三田市城山公園に展示されています。この作品は中を通り抜けることができ、高さは5mほどあります。この作品は男女の姿を表しており、左側が女性で、右側が男性です。二つのかたちが寄り添うように一対の作品を構成しています。これが、自分が「空間」というものを強く意識した作品で、1987年の第3回本郷新賞を受賞しました。図4は「KOBE RING」という作品です。これは曲線を使って構成しています。これを回しながら見ると、実にいろんな変化をします。これはあらゆる方向から見てもいいし、中に入り込んで見上げると空を渡るブリッジのようにも見えます。これこそが私が考えていた「空間そのものを造形する」作品で、この一本一本には別段の意味もなく、ここは風さえ吹き抜けます。この作品は2009年の神戸ビエンナーレに招待出品しました。

そして、図5の作品は「朱(あか)い雲」です。この作品は2015年にロシア・ペンザ国際彫刻シンポジウムに招待され、現地で製作しました。これも、3つの湾曲したかたちが重なり合って、空を舞うような姿になっています。作っていて眺めているときに、これは雲のかたちだなと思い、「朱い雲」と名付けました。私は作品を制作するときに模型を作ります。いい加減なフォルムなんですが、模型が私にとっては大事なのです。なぜかと言いますと、私は模型にずっと目を近づけていって、どのくらいの大きさになったときに面白く見えるのかを空想しながら、これくらいの大きさになれば空を飛ぶような作品になってくれるなと考えるのです。模型は作品を作るためにとても大事なかたち、「3次元との出会い」です。この作品は実際に今もペンザの公園に立っています。立っているというか、「朱い雲」が舞っているはずです。

図4　KOBE RING
神戸ビエンナーレ出品　マルニ製油小野研究所蔵
原型は神戸大学蔵（瀧川記念学術交流会館）

図5　朱(あか)い雲
ロシア・ペンザ彫刻公園

図6は、「横たわる女」という作品です。先ほど風をきる女性に見える「歩く女」（図2参照）をお見せしましたが、最近は「横たわる女」にも惹かれています。これはロシアのシンポジウムに行ったときにゴミ箱から見つけた鉄屑（図7参照）なんです。発見しました。これを眺めているとなんとなく人が横たわっているように見えてきました。左を頭として、真ん中が体ですね。右が足です。そうやって見ると、私は「横たわる女」にしか見えなくなりました。「これは面白い」と思って、これをポケットに入れて日本に戻ってきました。それを毎日眺めながら、「どうしてこれに私は惹かれたのか」「これは次の作品に影響してくるぞ」とずっと思い続けて温めてきました。そしてある時、「これはできるな！」と、これが作れるように私自身が変わっていきました。そんなわけで、これにチャレンジするタイミングがやってきました。「これを何とか自分のものにしたい」と思い、「どうやって作るのか？」「どう曲げるのか？」「これは一本の棒ではできないぞ」「じゃあ2つに分けるのか、3つに分けるのか？」「どうすればいい？」そんなことをずっと頭の中で考えていて、やっと自分のものにできるようになりました。実物は1mくらいですけれども、つまり、単に鉄を曲げるだけでなく、なんとなく人間のかたちに見立てたり、自然のかたちと共通のものとして理解できるものになってきました。これは今までの私の発想とは逆のことが作品に起こっています。今までは、具体的なフォルムをしていなくてもいいと考え

図6　横たわる女
BBプラザ美術館拡がる彫刻展
髙嶋清俊 撮影

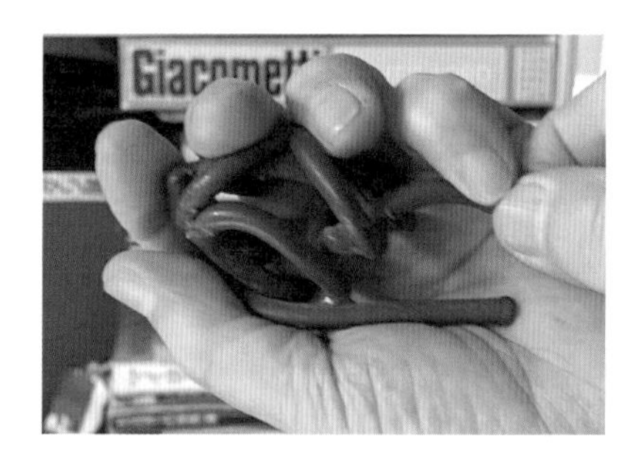

図7　鉄屑

ていたし、そうあらねばならないと思っていました。しかし、人間や自然の何かに見えることが面白いんじゃないか、そのほうが人とコミュニケーションが取れるし、これは自分の次のテーマになるなと思わせてくれたとても重要な「鉄の塊」です。

ドローイング（平面）から立体へ

図8の作品はまだまだ実験段階なのですけれど、鉄の曲がった作品を、まず「平面」で作品にしようと考えました。まず、ドローイングを描きました。これも「八人の人のさま」を連想して作りました。この作品のタイトルは「無明八部衆」です。「無明」というのは、悟りを開けない、苦しみ、喘ぎ、のたうち回る人間のさまを表しています。それは今の自分の気持ちの持ちようと近いかもしれません。これは「平面」としてしか作品はでき上っていないので、これをいつか「立体」で作って、並べてみたいと考えています。「無明八部衆」の屏風絵は私が描いたものです。私が実際に筆で描きました。「八人」というのは、中心となる人物がいて、それを護る守り神、武士のようなかたちの人がいて、その隣は少し変化したダンスを踊る人、楽器を演奏する人に見えなくもない。そして、この右端には八人を護り、邪気を払う人がいます。この人は逆立ちをしています。この人は腕組みをして、中を絶対に守るぞという人に見えます。両端の人は「阿吽」の像で、日本の「阿形」「吽形」のように見えて、私は勝手にそう思い込んで表現しています。この八人を実物の3次元の彫刻に作りたいとずっと考え続けています。一番右は、

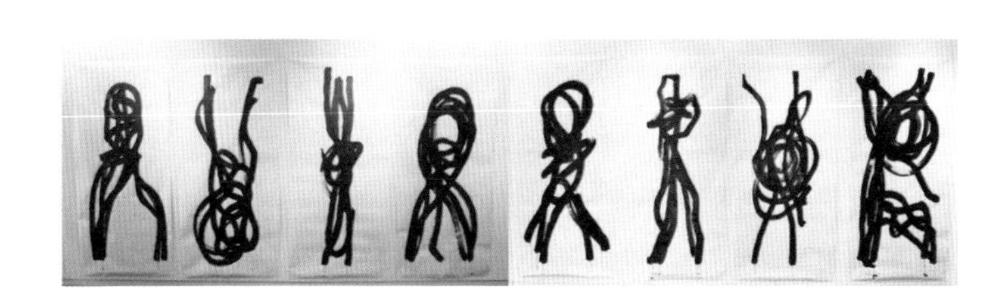

図8　無明八部衆

私自身の自画像だと思っています。「これから一体どこへ向かうのか」「お前は何者だ」ということに迷い、外へ向かってシグナルを送る、だけど自分の中では、いまいちまとまりがないぞ、という今の自分を表している、これこそまさに自分の自画像だと思っています。

FROM THE EARTH PROJECTについて

では、最後に私が30年間温め続けているプロジェクトについてご紹介します。図9は「地上より」という作品の原型です。最初に説明したように、「地上より」（図3参照）は一対の男女が作品となっていますが、これは4人のかたちを構成しています。2本の足で立っている。右から2人目が一番背の高い家の主です。その左隣が奥さんで、一番左が娘、そして一番右が息子。これは一つの家族を構成しています。この中を歩き回れるように、この作品の高さはおよそ22～23mにしたいのです。今回、私はタンボフ（ロシア）との交流を通じてロシアに行きますが、タンボフにはこの作品を設置するのにふさわしい空間、ふさわしい大地がきっとあるだろうと思っています。ですから、今回私がタンボフに行く目的の一つは、この作品を置ける場を探し

図9　地上より（原型）プサンビエンナーレ2002
アジアオリンピックスタジアムに7mの中間原型を設置
髙嶋清俊 撮影

に行く旅にしたいと思っています。本当にこれが立ち上がったら、遠くからでも森の中に佇んで、地平線が見えるような場所を見たいなとずっと温め続けている作品です。

ロシアとの交流について

今回のロシアとの交流の目的は二つあります。一つは、この私のドリームプランの実現に向けて活動すること。もう一つは、私がロシアと交流するきっかけとなったロシア構成主義についてです。最近は再評価も進んでおり、重要な造形哲学だということが広がってきています。この構成主義というものをもう一度再評価しながら、これからの時代のアートシーンをどのように考えていくか。それをロシアとの交流を通して考えていきたいと思っています。（※なお、2022年2月にロシアのウクライナ侵攻が始まり、交流事業は中断せざるをえなくなりました。民間交流は続いています。）

私は大学でアートに関することをいろいろ教えていますが、学生に「芸術というのは国境がない」と言っています。それは心と心が通じ合うものであり、自由に行き来できます。例えば、言葉がわからなければ、ロシア語がわからなければその国とつながれないということはありません。アートというのはそういったものを一気に越えていく。そういう力を持っています。いつも学生に言うのは「言葉をちゃんと喋らなければならない、ということではない」ということです。自分がつながりたいという気持ちがあれば、ロシアの人ともつながっていけます。ですから、もっと日本の若者も、特に欧米を見ている日本人が多いわけですが、ロシアとか「近くて遠い国」にもう少し注目してほしいと思っています。私の座右の銘は、「今やらねばいつできる、オレがやらねば誰がやる」です（これはわが師、辻晋堂先生の言葉です）。そして、私が今やらなければならないのは、ロシアとの交流、そして構成主義の再評価だと思っています。

私は10年ほど前からロシアと交流をしていますが、特にペンザ工科大学と交流してきました。そこにはロシア構成主義研究者エレーナ・ラプシナ氏やドミトリー・ディマコフ氏がおられて、それ以外にもペンザでさまざまな彫刻家の方々と交流してきました。これはとても重要なことだと考えています。なぜなら、若い人にこれをつなげるというよりも、まず自分がやらなければならない、自分がつながっていく、自分がそれを面白がる、そこが一番重要な点です。自分の中にある構成主義的な芸術の要素を大事にしながら、それでロシアとつながっていく、それが次の世代への手がかりを与えてくれると確信しています。

先ほども申しましたが、もともと丹波が私の生まれ故郷であり、大事な場所です。実は2015年に自分の作家名をJUN TAMBAとしました。それは「丹波（Tamba)」という地域のアイデンティティが私の中にあるからです。日本というのはすごく小さな国です。でも、いろいろな地域によって文化や伝統や言葉の違いがあります。これは私にとってはすごく大切なポイントです。それを世界のスタイル、インターナショナルなスタイルで表現していきたい。そうしなければ、ダメだと思っています。私の中には構成主義というものがしっかりある。それは抽象芸術を学ぶことでロシア構成主義も同時に入ってきた。それをどう出すのかといえば、インターナショナルなスタイルでもう一度世界に投げかけていく。そういうことを自分がやらなければならないと思っています。

手の中の造形　外からのシグナル

私は最初自然のものとは一切関係のない「構成」ということをずっと考えてきました。水平垂直や奥行などを考えて、かたちを作って、その一番良いバランスとか、ちょうど良い感じというものをずっと追求していく中で、フォルムを作り上げ、それを作品にしてきました。ところが、ある時から、自分の中から外へ紡ぎ出すものというものには限界があるような気がして、外からのシグナルが結構重要なものとして自分の中にやってくる、ということが（それは歳のせいかもしれないけども）出てきました。先に紹介したロシアで拾った鉄の塊（図7参照）。これを私は見た瞬間に、これは何だという、これがシグナルを私に送っている。何これ！？と思って、この鉄の塊をひっくり返したりしながら、ありとあらゆる角度を見ているうちに、ある確度から見たときに、人に見えるぞと思ったのです。つまり、この鉄屑が私にこういうふうに見て欲しいと言っているかのように思ったのです。構成主義についても、空間をどのように組み立てるかということを考えていくことから、つながりの表現世界へ、違う方向のシグナルが私のところに入ってくる。このようなことが、私にとても大きな変化を与えることになってきました。そこから自分の中に違う考えが沸き起こってくる。これを何とかしたいと思うのです。これは確かに何か私にシグナルを与えてくるわけだから、私がこれを何とかしなければならないとずっと思い続けていて、なかなかできなかったのです。2～3年この鉄の塊を毎日いろいろな角度から眺めて、まだしっくりこないと感じながら、つまり自分の中が勝手に変化していくのです。この外から与えられたものが、勝手に自分の中を変えていく。そして、ある時にできるぞと思ったら、それがすっとかたちとバランスが見えて、「横たわる女」（図6参照）になったのです。鉄の塊と「横たわる女」は私の中では勝手にこうだと自分で理解して、やっているわけです。そこでは、どのようにしたら上手くできるだろうかを考えつつ、考えられてない部分もあるわけです。拾った鉄の塊から「横たわる女」へ辿りつくのにとても時間がかかりましたが、作品の模型ができた瞬間からは、自分の中に作り方から空間の捉え方から、いろんなものが全部自分の中でぐるぐる回るようになっていきました。ここをこうしてこうしてこうして、ここでトラブルぞ、どうするのか、そのトラブルをどうやって解消するかということを、またずっと考えて、見通しが立つぞと思ったら、次へまた行けるという、そういうことの連続が起こってきたのです。

「歩く女」の模型も日本の工事現場で拾いました。「なまし番線」といって、外の工事現場に昔は棒を立てて、それを番線で縛っていたのです。多分、今もやっているところがあります。工事現場に行ったら、番線の塊が落ちていたのです。それを私は持って帰って、顔を近づけて角度を変えながら見ていると、これは面白いなと。風を切る女性に見えてしまうのです。だから、他の人にはこれがどう見えるかとかいうよりも、自分にはこう見えると思ったら、それを軸にしてすべてを組み立てていく。そのように作った作品です。

手の内の造形　ヘンリー・ムーア

私が最近発表した論考「美術教育における立体造形の意義：触覚をめぐって」[2]は2016年に書きました。私がこの文章を書くきっかけになったのは、私の尊敬するヘンリー・ムーアというイギリスの彫刻家がかたちを考えている時の、三つの異なるかたちの塊を両手で持っている写真を見て、すごいと思ったことです。つまり、三つのばらばらなパーツを一つにつなげて考えているのです。その時に、彼はすべてを手で触りながら、少し角度を変えたらどうなのか、どういうふうに組み合わせると面白いか、良いかたちになるかということをずっと考えている。手で考えている。これとこれを合わせて、これをどういう部分につなげていったら面白いのかというようなことをやっているのです。その写真を見たときに、ヘンリー・ムーアという人の創造の秘密がここにあるということを感じたのです。そのことについて論考に書いているんですけれども、ムーアはそのあたりの心境を以下のように語っています。これが面白い。「私はマケット、小さいものによる完成されたアイディアを作り、それを実際の彫刻にしようとするサイズで考える。そうすれば、私はその作品をひっくり返して、底から見ることもできる。神が上から見る時のかたちも、虫たちが下から見るときのかたちもわかる。私は今自分の作っている作品のすべてを把握できる。」この文章を読んだ時に、自分がやっていることと、ヘンリー・ムーアがこうやっていることは全く同じだ。つまり、一つのものを考えていく時に、今みなさんの手元に渡したものも、それをどのぐらいの大きさにしたら面白いか、その時には自分が蟻のような小さな存在になったり、あるいは天空から見て、それを俯瞰するようなこともできる。ありとあらゆることが、その小さな手の中に入る、この小さなか

2　塚脇淳、神戸大学大学院人間発達環境学研究科研究紀要、特別号、77－82（2016）

たちが、頭の中でぐるぐると大きくしたり小さくしたり、ひっくり返したり、下から見たらどうなるのかな、その内部はどうなっているかということも全部想像をしていく、空想していくということができるわけです。ヘンリー・ムーアという人がやっていることのすごさは、まさにこのことだと思うのです。私とヘンリー・ムーアを同列で扱うのは、ちょっと失礼な話、はばかられますけれども、こういうふうに物事を組み立てていく時に、その大きさというのは自在に変えることが可能なのだけれども、その中で、一番ふさわしい大きさとかバランスとかいうものが、その時に既に練り上げられて、計算されるというわけです。私も模型をありとあらゆるところから眺めながら、これがどのサイズになったら面白いんだろうと考えます。そして、自分がそれを作れるかということも考え合わせながら、いつもせめぎ合うわけです。どうやったらできるだろうか、自分の力量はそれにちゃんと合っているだろうか。その力量を超えるとどうなるのだろうか。例えば、彫刻などの立体造形というのは、スケールを倍にすると物量は2×2×2だから8倍になります。したがって重さも8倍。3倍にすると27倍になります。模型がたったの1キロ程度だとしても、これを3倍のスケールにすると、もう突如30キロという重さになります。そうすると、突然レベルが変わっていくわけです。それを自分がやれるのか、クリアできるのか、そのようなことをずっと考えながら、行ったり来たりします。私は20世紀後半という時代に、このようなことをやってきました。ヘンリー・ムーアという優れた先人のやってきたことが、今につながっていっているかどうかが問われる時代に差し掛かっているのかもしれないと感じています。

捨てるだけ捨ててしまって、残ったものを表す

私の作品がどのように展開してきたかというと、学生時代の流れは、最初は丸いかたちから出発していきましたが、だんだんと四角いかたちになっていって、真四角の作品を作って、行き詰まりました。つまり、四角いかたちというのは動きが取れず，ガチガチになってしまいました。私はこのガチガ

チのところで、破綻。もう俺は駄目だ。ここでやめるかやめないか、彫刻家を捨てようか、違う仕事をするか、選択を迫られていました。ところが、自分が余計な物を抱え込んでいるんじゃないかと考えるようになって、捨てて、捨てて、捨てまくりました。とにかく嫌いなものとか、ちょっと違うなと思うものを全部捨て去ることにしました。そして捨て去ってしまって、何が残るか残らないかという瀬戸際をさ迷ったときに、「鉄を叩くという最初の始まりのことを忘れているのではないか」という気持ちが突如沸いてきたのです。「最初の始まりは、鉄板を叩いて、何か変な丸いかたちを作っていたではないか。あの追求は終わったのか」と、神様か何かが指令に来たように思いました。ひょっとしたらまだ鉄を叩くことをやりきっていないのではないか、やって駄目だったら終わりだなと思って、もう一度鉄を叩いてみようと再スタートしました。そうして作った作品が「鉄のかたち」（図10参照）なのです。これはとても重要な作品です。もう一度鉄を叩こうと思って始めたら、次はこれを考えなきゃいけない、次はこれを考えなきゃいけない、もっと立ち上がらなあかんとか、空間が見えるぞとか、課題がいっぱい出てきて、その課題の連鎖が積もり積もって、その課題の連鎖によって、自分の今の作品が出来上がってきました。

図10　鉄のかたち
ギャラリー射手座（京都）個展

20世紀初頭の巨人とつながる表現

作家というのは、渾渾と自分の中から湧き出る何かがあるのではなくて、課題を解消しなきゃいけない、課題にちゃんと答えなきゃいけない、というようなことを繰り返しています。課題に対して答えたら、また他の課題が発生して、どんどん課題が積もっていくわけです。それを解消していく、それを作る、作ったらまた面白くなる、面白いことを発見できるということが、頭をぐるぐる駆け巡っていって、最近では鉄をぐるぐる曲げるというようなパターン、「横たわる女」のシリーズだとか、なんとなく人間に見えるシリーズだとかが自分の中にまた新たな課題として出てきています。その新たな課題を何とか解消しなければいけないと思っているうちに、また新たなアイディアが出てくるという、そのような状況です。自分がどういうような志向で作品を作っているのだろうかということを考えると、これまでは全く違う世界、自然のものとは相容れないものを考えていたはずなのに、今、それがなんとなく逆転しているように思います。私の中に完全な逆転現象が起こっている。例えば、「横たわる人」というのは私の尊敬するヘンリー・ムーアが得意とするテーマです。私は今、自分の作品を「横たわる女」と言っているのは、ヘンリー・ムーアとつながっていることを意識しています。昔だったら絶対そのようなことは言わないでおこうと思っていたのに、今はその20世紀の巨人とつながることが面白いと思う、なんともおかしなことになってきています。例えば「歩く女」というのはウンベルト・ボッチョーニというイタリアの作家がいるんですけれども、その人の作品に「歩く人」というものがあります。私が作った「歩く女」は、そのウンベルト・ボッチョーニの作品に似ていると思っています。20世紀の巨人たちと今の私がつながる面白さみたいなものが出てきました。ひょっとしたら私は、20世紀の始まりの美術家たちが考えていたいろいろなことを、今やっと自分が考えることができるようになってきたのかもしれないとまで思う、面白い現象が起こっているのです。

3次元空間いったりきたり

ここで「無明八部衆」ついて改めて紹介したいと思います。これまでの話から、図8が次の段階に行くのと、彫刻になるということはみなさん想像できるでしょう。あとは私がこれをどうやって加工できるか、どのぐらいのサイズだったらできるか、何を使うかというようなことが、自分の中にきちんとできるというところまで見通しが立てば、彫刻に必ずできます。だから、これは絵画でも書道でもなくて、空間のドローイングというか、これを単に描いているのではなくて、図8には奥行きがあるのです。線をなぞっていくと、どこをどう通ってどう行くのかなとか、ここを行ったらこっちへ出てくるとか考えてしまいます。これは平面だけれども、こっちへ回るのか、奥に行くのか前なのかなとか、というようなことを無限に考えることができます。頭の中で三次元空間が行ったり来たりしながら、考えている。これは私の一番基本的な腕のストロークとか、体の動きとか、そういうところから出てくる線です。だから、私の手の動き、腕の動き、体の動きなどが、この線になって現れます。体を使って描きながら、これが人間のように見えたらどうなのかと思い描いて、それならば人間として考えてみると面白くなるかもしれないと考えるわけです。そうこう考えていると、八人の悟りを開けない、のたうち回っている人間のように見えてきて、「無明八部衆」というタイトルにしてみたら、日本の古いものとつながるぞという考えが自分の中に浮かんでくることになります。この作品は、仏教の八部衆からヒントを得て作ったのではなくて、描きながら八部衆に見えたら面白いかもしれない、そうするとつながることができる人も出てくるかもしれない、別の人が現れるかもしれないと思いながら作っています。これを「無明八部衆」という名前にして、これは仏法の守護神ですと言い切ってしまえば、これの前で手を合わす人が出てくるかもしれない。そうなったら、それはそれでいいわけです。だから、もう今や自分がどこに向かおうとしているのか、これがどう見えるかとか、そういうことすら面白いのです。すべてが、何か思ってもらえれば面白い。でも、人間に見えませんと思う人も、もちろんいてよいわけです。とにかくこれが三次元に現れたら、とんでもない怪物達が見えるはず。何とかこの怪物を作り上げたいと、今は自分の中では一番重要なことになってきています。今自分がどこに向かうのか、もう全くわからないです。

現在、「無明門」という最新作を作っています。ロダンに「地獄の門」というのがあります。私はその作品はロダンの最低な作品だと思っているのですが、自分が今その最低な門を作ろうとしています。今の私のターゲットは、一番嫌いなロダンです。私の講義では、ロダンのようなオーバーアクションな彫刻家には騙されるなというような話をしていますが、今私が作っている作品がロダンみたいなのです。自分が散々批判しておきながら、ロダンの「地獄の門」のようなものを作ろうとしている自分がいます。それがまた、面白い。勝てるとは思えないけれども、ロダンと勝負できるかもしれない。そういうニュアンスが伝わったら、ロダンを知っている人は、ロダンのイメージから私の作品を一緒に考えてみたりできるかもしれません。そうしたら、ありとあらゆるコミュニケーションができるようになるかもしれません。まだうまくいかないのですけども、次にお見せできるようにしようと思って、今頑張っています。

おわりに

構成主義というものを考えていくところから始まって、鉄との出会い、空間への志向、そして立体から平面、平面から立体へと考えてきたのですけれども、これから自分がどこに向かうのかは、よくわかりません。最近はこだわりがなくなってきています。これで本当にいいのかと思いながら作品を作るというような志向になってきています。やっと自由になってきたのかもしれません。やっと20世紀の美術が、自分の中で理解できるようになってきたのかもしれません。外からのシグナルや20世紀の巨人たちの作品を思考することが面白くて仕方がありません。これは、捨てるだけ捨ててしまって残ったものを表せという私の座右の銘を捨て去ってしまうことになるかもしれないと感じている自分がいます。

格子ボルツマン法が描く混相流の不思議な界面形状

講演者：松隈洋介先生

福岡大学工学部化学システム工学科 教授

主催

神戸大学大学院工学研究科グラフィクスリテラシー教育研究センター

共催

(公社)化学工学会SIS部会ダイナミックプロセス応用分科会

日本図学会関西支部

神戸大学V.School

松隈と申します、どうぞよろしくお願いします。先ほどご紹介いただきました、このような題目で話させていただきたいと思います。まず、タイトルにあります混相流についてです。物質は水でも何でもそうですけど、気体と液体と固体の3つがあります。水だったら気体が水蒸気。固体が氷。液体が水です。図1のように、相が違うものが混ざっているものが混相流になります。

水で言えば、空気と水が混ざったような、例えばお風呂の中で作るタオルクラゲは気液2相流になります。液体の中にビー玉とかおがくずとか、そういったものが溶けて流れていったら、それが固液2相流になります。それから、ここの中にもハウスダストが舞っているとか、あるいはウイルスみたいなのでいくと、これは気体と固体ですから、固気2相流というふうになるわけです。全部混ざってしまうと固気液3相流ということになります。これらはいろんなところで見られるものです。先ほどご紹介したようなお風呂の中も混相流ですし、マヨネーズも混相流です。実はマヨネーズの中にはすごく小さい泡がいっぱい入っています。どんどん話が反れますけれども、カロリーハーフはなぜカロリーが半分かご存知ですか。原料もカロリーが低いものを使っているのですけれど、マヨネーズの中に細かい泡がいっぱい入っています。ですので、同じ長さだけ食べたら、泡を食べている分カロリー少な

図1　混相流（https://www.cradle.co.jp/ より抜粋）

くて済む、という話です。あんなにネタネタしたものの中に、細かい目に見えない泡を入れるのはすごい技術なのです。だから10数年前まではできなかった。それがやっと実現してカロリーハーフになったのです。あと、土石流は水と岩とか木とかと空気が混ざって流れてきますから、固気液3相流となります。ですから、混相流と一口で言ってもいろいろな広い分野にわたります。私は実は日本混相流学会というのがありまして、そこに属しているのですけれども、そこで2年前にシンポジウムをやらせていただきました。この学会には非常にお世話になっていますが、今日お話する内容は、どちらかと気液2相流に関わるものです。これは私のバックグラウンドにも関係するのですけど、私は原子核工学専攻というところにいます。原子炉です。原子炉には2種類あるのですけど、BWRと言いまして沸騰水型原子炉、これは原子炉の中でぼこぼこお湯が沸いています。お湯が沸いて水蒸気が出ています。その状態が非常に複雑なのです。その複雑な状態をシミュレーションしたいというのが私の研究のスタートです。その研究の研究室の先輩が、神戸大学にいらっしゃる冨山明男先生という繋がりです。それで、その話をちょっとしていきたいと思いますが、今日はご専門ではない方も多いと思いますので、なるべく式は使わないようにします。それから、わかりやすく説明しているつもりですが、もしわからないことがあればチャットでも何でもご指摘ください。

混相流は、もちろん実験と計算・シミュレーションと2通りあって、実験も計測技術とかいろいろ工夫されています。それとともに、私は計算のほうです。混相流を数値計算するときの難しさについて図2にまとめました。まず1つ目は、他の層との密度が極端に異なる点です。

例えば、空気と水の流れだったら、空気の密度は水の1000分の1しかありません。それらが力をやりとりするのですけど、要するに軽いから、ちょっと力がかかるとすっと飛んで行ってしまうのです。なので、水がちょっと動くと空気はうわーっと飛ばされてしまいます。そんな急加速をするものを扱うというのは、数値計算上、非常に難しいと言われています。それから後で出てきますけれども、例えば、中に物が入ったものを振ると、中は見えないですけれども界面はぐちゃぐちゃになります。ぐちゃぐちゃになっていて、中にある泡が分裂したり切れたりくっついたりをくり返しているわけです。こんな界面があった時に、その界面の形状をきれいに計算機の中で作って、動いていくものを追っていかなければいけない。こういう難しさがあります。物理学では力のつり合い、質量・重さのつり合い、エネルギーの収支の3つがつり合わないといけないのですけど、この釣り合いを各点で取っていかないけないことになりますが、これが非常に大変です。それから、先ほども言いましたけど、合体や分裂を伴う界面の大変形が起こります。それから4つ目は、相変化です。ここまでの3つのポイントは、水と空気に関してのものでしたが、その他に、例えばさっき言った原子炉の中は何が起こっているかというと、蒸発したり凝縮したりしています。要するに、水だったものが水蒸気に変わったり、水蒸気だったものが冷やされて水に戻ったりしています。それを考えなければいけないので、結構大変だということになります。

この大変なことを扱わなければいけないのですけど、混相流の代表的な数値計算の方法として、図3に示すように大きく分けて2つあります。

1つは、空間とか時間で平均化する手法です。気泡の形が正確にわからないけど、この空間には気泡が何割ありますという、という説明するやり方で

- 他の相と密度が極端に異なる（気液二相流は1000倍）
- 界面を正確に定義し、そこでの質量、運動量、エネルギーの収支を正確に取る必要がある
- 合体や分裂を伴う界面の大変形が起こりうる
- 相変化を伴う流れは、さらにその計算モデルを考慮する必要がある

図2　混相流の数値計算の難しさ

す。要するに時間とか空間で気泡の形はわからないけれどだいたい50%ぐらいある、という計算をする方法となります。これらが均一流モデルなどいろいろあります。それに対して、私が今日ご紹介するのは2つ目のリアルに計算する手法です。ようするに、気泡は何個あります、という計算の仕方をするものです。こちらのほうがリアルでいいなと思うのですけど、私はこっちで計算がきちんとできるのだったら、こっちの方が圧倒的にいいと思っています。なぜかというと、速いからです。速い上に、いろいろな実験からいろいろなデータを得ているので、非常に伝統もあるし、価値もあります。今言いましたように、平均化する手法は計算負荷が少ないし、あれ程度軽い計算でできます。ただ、構成方程式といって、式だけで完結しないのです。だから、別途実験をやって、その実験から得られるデータを個別に組み込まないとうまくいかない、という問題があります。ですから、小宮山先生というその先生は、多分その昔これを一生懸命やられていました。データを貯めて、貯めたデータを使って、構成方程式をいっぱい作ってそれで非常に有名な先生になられました。逆に、リアルに計算する手法はその反対ですけど、計算負荷が大きいです。しかし、リアルに持っていくので全部なくせるわけではないですが、構成方程式はあまりいらないと言われています。どちらを使うかということですが、私はリアルな手法を使っていますが、平均化する手法

空間や時間で平均化した物理量(ボイド率、クオリティなど)を使う
- 均一流モデル
- ドリフトフラックスモデル
- 二流体モデル
- 気泡追跡法

など

リアルに計算する(界面をそのまま追跡する)
- Volume of Fluid (VOF)法
- フロントトラッキング法
- 粒子法

など

図3　代表的な混相流の数値計算手法

を使っている方から見ると、もっともらしい絵ばかり描いているけど大丈夫か、と多分思われます。リアルな絵を描いた時に、それが本当に合っているかどうかというのは、平均化する手法の力や実験の力が必要で、リアルに計算する手法だけでは完結しません。

図4のように、リアルに計算する手法もいろいろあり、それぞれに得意不得意があります。その中の1つに私がやっている格子ボルツマン法というかありまして、今日はこれについてお話します。格子ガスオートマン法とMolecular Dynamics法については後ほどご紹介します。これらの方法を取る時にNavier-Stokes方程式というのが出発点になります。この式は流体の力のつり合いを表していて、この式が解ければ流体がどう動くというのが完全にわかると言われています。この式と連続の式がありますが、質量の保存をしますという、それをすれば完全にわかります。ところが、このNavier-Stokes方程式は解けないです。どれぐらい解けないかというと、2000年にクレイ数学研究所が、1億円の賞金をかけた7つの問題を出していて、これをミレニアム問題と言いますが、その中の1つがNavier-Stokes方程式の解の存在と滑らかさなのです。もう20年以上たっていますけれども、この式はまだ解けていません。しかし、Navier-Stokes方程式の式とちょっと違うのだけど、ほぼNavier-Stokesと思っていいよね、という式に代えることが

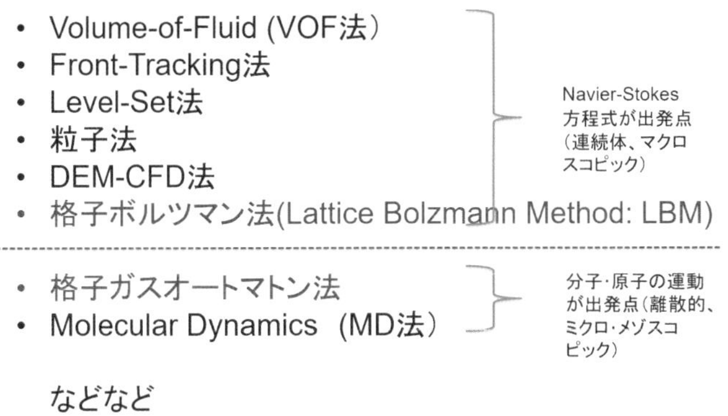

- Volume-of-Fluid (VOF法)
- Front-Tracking法
- Level-Set法
- 粒子法
- DEM-CFD法
- 格子ボルツマン法(Lattice Bolzmann Method: LBM)

Navier-Stokes方程式が出発点（連続体、マクロスコピック）

- 格子ガスオートマトン法
- Molecular Dynamics（MD法）

分子･原子の運動が出発点（離散的、ミクロ･メゾスコピック）

などなど

図4 「リアルに計算する」代表的な混相流の数値計算手法

でき、代えるとそれをコンピュータに乗せて解くことができるようになります。これが、私達がやっている手法です。これはみなさんいつもお世話になっているもので、天気ではこの手法を使っています。ほぼNavier-Stokesである置き換えられた式を非常に大きなスーパーコンピューターにかけて、それで計算しています。天気予報の一番の宿命は、明日の天気を予想するのに3日かかっていたらなんの意味もないということです。メッシュと言われる計算点が多ければ多いほど精度は高くなるので、これはせめぎ合いです。正確さと速さのせめぎ合いで、だから非常に速いコンピュータを使います。我々が子供の頃は、天気予報は当たらないもの代名詞でしたが、今は計算の精度がものすごく上がってきました。天気予報も解き方がいろいろあるのでしょうけど、混相流の世界でも図4のようにいろいろ解き方があります。そして、実は格子ボルツマン法と格子ガスオートマトン法の間に大きな断崖があります。格子ボルツマン法より上の方の解き方は先ほどのNavier-Stokes方程式です。これは何かというと、ここにある空気のように、ずっと繋がっていて、そことここで境目はない、という考え方を出発点にしています。それに対して下の2つは、離散的に考える手法で、ある場所を拡大したら窒素分子と酸素分子が飛び交っていて、窒素原子があるところとないところがある、というように考えます。この粒々が飛び交っている世界を、このままはずっと再現したら、この流動は多分解けるはず、というものです。だけど、粒々の数が多過ぎます。アボガドロ数というものがありますが、1モルで6×1023乗で、それほどたくさんの数のシミュレーションすることは今でもできません。ですので、全部を解くのは無理だから、この中の非常に本質的なところだけを取り出してきて、それでシミュレーションしたらいいのではないか、という考え方で、これが1980年代の話です。私が研究室に入って一番最初にもらったテーマはこれでした。このMolecular Dynamics法（MD法）は非常に計算コストが高いです。だから速いコンピュータを使わないと解けません。それを、ものすごく非力なハードで解こうとしました。だから、分子動力学MD法という手法ですが、貧乏人のMDと呼ばれていました。では、貧乏人のMDをご紹介します。

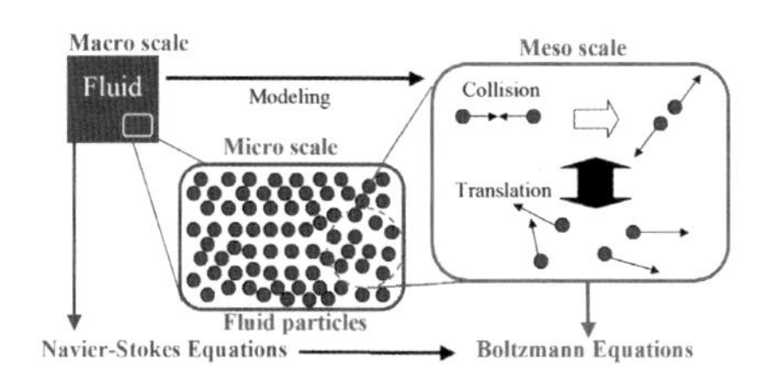

図5　メゾスケールにおける流体粒子運動の概念

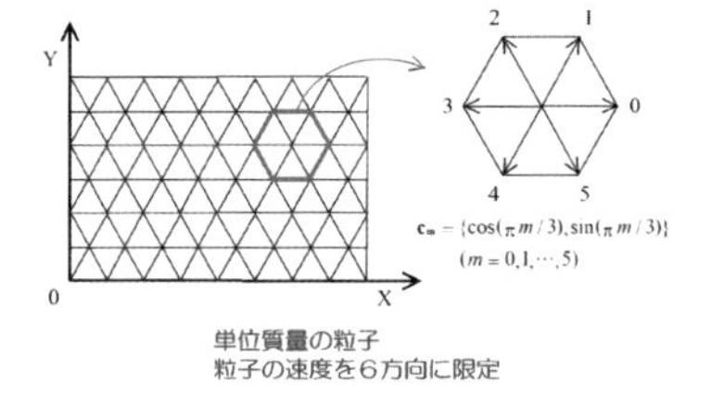

図6　格子ガス法の基礎モデル

図5をご覧ください。さっき言いましたように、マクロで見れば流体は繋がっていますけど、ミクロで見れば酸素原子・分子が飛び交っている世界です。飛び交う世界の中から、非常に重要な2つの性質だけを取り出します。具体的には、酸素原子同士は衝突して向きを変えます。それから、向きを変えたものがまた衝突するまで飛んでいきます。この2つだけで何とかならないか、ということです。何をしたかというと、これは2次元なんですが、六角形の格子をたくさん並べました（図6参照）。ここに先ほどの粒々、重さが1の粒々をっぱいばら撒きました。粒々はこの線たちに沿ってしか動けないというようにしました。本物の原子同士は360度どこでも飛べるはずなのです。これを、これらの6方向に限定するというスタンスです。しかも、速さは全部1としていて、1個カウントしたら隣のセルに移ります。2つ3つ飛ぶことはできません。これはすごい規制です。本当の気体の分子原子は、マクスウェルボルツマン分布に従います。しかし、貧乏人のMDでは何をしたかというと、速度は全部1にしてしまいました。その上で、図7のようにするのです。

最初にたくさんばら撒いて、衝突が黄色いところです。この衝突で向きを変えます。これを全部のセルで一斉に起こします。起こした後、向きが変わった粒子が隣に進みます。そしてこれをくり返します。実は我々が欲しいのは、この粒子たちの状態ではありません。必要なものは、粒子たちを平均化して得られる速度や圧力や密度です。ですので、例えばこれをある程度のセルで区切って、向いている向きを考慮してカウントします。カウントして、

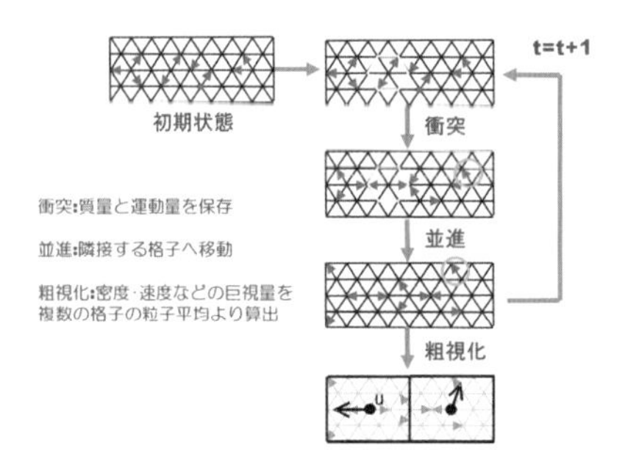

図7　格子ガスオートマトン法の時間発展

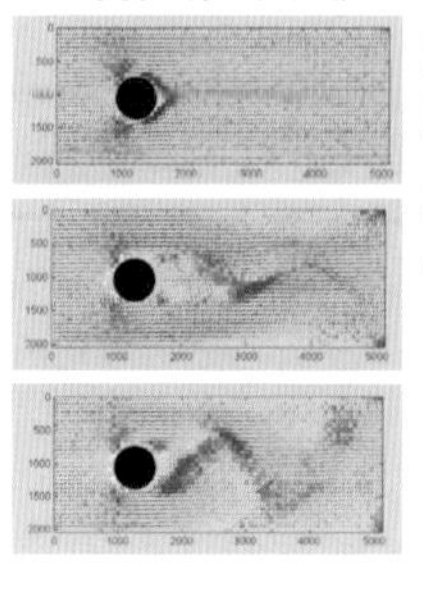

図8　FHPモデルによる
シミュレーション結果の一例

入射角とします、密度であれば、ここに粒子が何個あるかと数えます。そうすることで、例えばカルマン渦を求めることができます（図8参照）。これは円筒などの後ろに渦ができて、それが周期的に振れていく、という現象です。これは、先ほどの方法をくり返しているだけですが、このような結果を出すことができることがわかりました。

格子サイズは、計算やっている方はご存知かもしれませんが、比較的多いです。5120×2040の六角形が並んでいます。さっき言ったように、図8の黒い点1個1個は何をしているかというと、これが図7のように組織化をしていて、これが解となります。どれぐらいの領域で組織化しているかというと、64×64の六角形の状態を平均して黒い線1本を描いています。そうすると、図8のような表現が可能です。おもちゃのようで、トイモデルと言っていましたが、これが1980何年かのことで、このやり方でNavier-Stokes方程式を解いていることになります。ちょっと違うのだけれど、ほぼなるということが論文で示されました。それから非常によく使われるようになりました。当時、複雑系というのはすごく流行っていました。フラクタルなど、そういう分野が流行っていて、その中の1つです。ところが、このモデルには非常に大きな欠陥がありました。何が欠陥だったかというと、0か1で判断するのであるかないかだけで見ているから、要するに大きな組織化領域を取らないと、ノイズが乗ってしまうのです。図9をご覧ください。

ノイズが乗るというのは、たまたまそこに存在する粒子などあるので、大きな組織化領域を取らないとだめで、がたがたになってしまいます。本当はフラットなはずのところががたがたになってしまうので、使い物にならないという話になります。その時に出てきたのが今日のメインの話である格子ボルツマンのほうになります。0か1をカウントするからがたがたになるのであって、0から1までの確率にすればいいのではないか、ということで、その手法を取り入れたら非常に滑らかになりました。

それで、今日の話である格子ボルツマン法ですが、格子ボルツマン法の格子はこのような形になります（図10参照)。格子ガスオートマトン法は六角形です。なぜ四角形にしなかったのかというと、四角形にすると田んぼの田のような格子になりますが、そのような格子では、異方性と言われる、斜め方向の変な非物理的な現象が起きてうまくいかないことがわかっていました。せめて六角形でないとだめだろうと考え、六角形にしました。しかし、六角形は形を作るのに非常にやりにくいです。私もこれ専用のグラフ用紙を自分で描いて、何枚もコピーを取って使っていました。しかし、格子ボルツマン法はわりとフレキシブルで、いろいろな融通が利くようになります。だから、よく使う四角で、1の速さ、ルート2の速さ、止まっているもので、速さが3種となります。格子ガスオートマン法は1種でしたが、速度の種類が少し増えます。3次元でもできますが、これも1の速さとルート3の速さと止まっているものとなります。どんどん増やしていけばいろいろな形でできますが、あまり増やし過ぎると複雑になってしまって、普通は図10に示した15速度

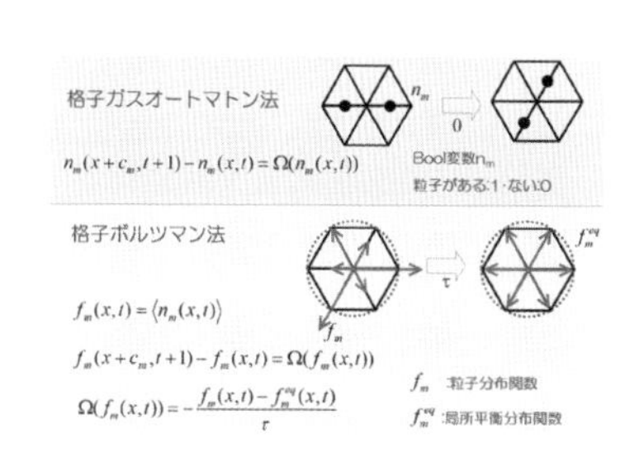

図9　格子ボルツマン法の基本モデル

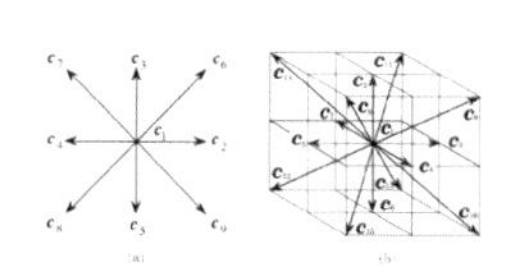

2次元9速度モデル(2D9V)3次元15速度モデル(3D15V)

2D9V　c_m = (0, 0), (±1, 0), (0, ±1), (±1, ±1)

3D15V　c_m = (0, 0, 0), (±1, 0, 0), (0, ±1, 0), (0, 0, ±1), (±1, ±1, ±1)

図10　格子ボルツマン法に用いられる主な格子

や、これの仲間の19速度とを使っていくことが多いです。

図11をご覧ください。格子ボルツマン法では組織化をする必要はないです。図7のように平均しなくていいことになります。なぜなら0から1まで、というものを連続にしていますからです。ですので、格子にある分布関数というのですけど、個数みたいなものをカウントしてあげれば密度、個数に方向を加味すれば速度が出ます。先ほど言った、衝突と隣の格子に移りますという公式は図11の式になり、大変シンプルです。流体をプログラミングされている方は、普通の解き方は結構ややこしいです。どうややこしいかというと、なかなか物体の収支が合いにくいのです。連続の式というのですけれども、入ったものと出ていくものを合わせるのが結構難しいです。それを合わせるために何をするかというと、何回も何回も計算をして、それで合わせることをするのですけど、実は格子ボルツマン法はそれをする必要がありません。ただ図11に示した式を解いていればいい、という方法です。だから、収支が取れていないところがあり、収支が取れていないと、圧縮することができます。実は、ぐるぐる回して収支を合わせるやり方は、これはどこで使うかというと、非圧縮性の流体で、水や、空気でも遅い流れの時にそれを使います。収支を取らないやり方は、どちらかというと圧縮性といって音速に近いようなときに使うやり方ですが、格子ボルツマン法はそちらの収支を取らない方法でやっています。音波みたいな圧縮性を計算できるのだって思わ

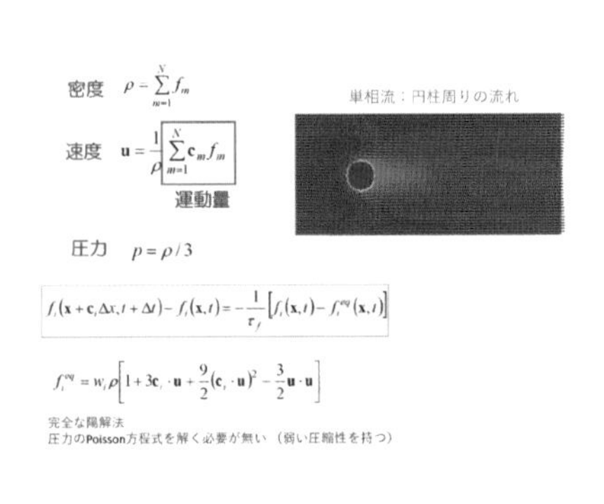

図11　巨視的変数と時間進展の式

Visual BasicによるLBMプログラム例

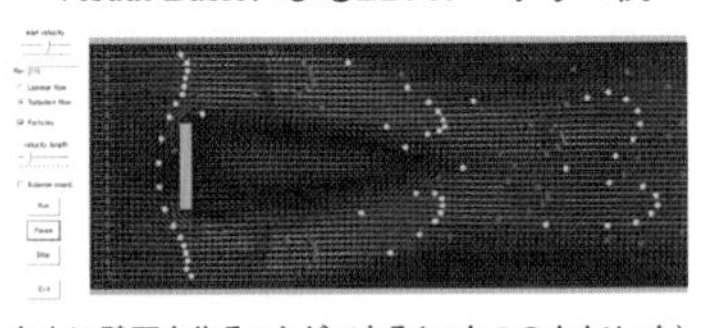

- 自由に壁面を作ることができる（マウスの左クリック）
- 層流と乱流の状態を作り出せる（動粘度をコントロール）
- トレーサー粒子を飛ばせる

https://fukuoka-u.box.com/s/e8dayyjy000zgums3otz14ko1fl1regq
よりダウンロード可能

図12　Visual Basicによる
LBMプログラムの例

れるかもしれませんが、実はそれはできません。音波みたいなものは飛ばすことはできますが、この方法からNavier-Stokes方程式になるように作ってありますが、そのときに前提があって、音速よりも十分に遅くないと、この式は適用できません。ですので、あまり速くしたらだめなので、音波は計算できません。

この単純な手法を用いると、先ほどのような単相流が計算できます（図11参照)。今日の混相流になかなか行きませんが、その前にまず図12をご覧ください。やっとグラフィカルな表現が出てきました。ここで、左から右に流れを起こしています。十分に発達した流れになったときに、パーティクルを放出します。先ほども少しお話をしていたのですけど、流れは見づらく、かつ見方がいろいろあります。この図の黄色いものは流速ベクトルという矢印で、細かく描き過ぎて見えにくいという状態です。ですが、パーティクルという流れに完全に乗るものを流すと、真ん中が早くて、壁面の方が遅いのだなということがよくわかります。これ実は、パーティクルを止めて、ここにマウスでお絵かきができます。1本だとだめなのですが、2本の壁を作ると、流れが堰き止められます。そうすると、こんな形で、壁の後ろに淀んだ点ができます。これにパーティクルを流すと当然ながら壁を避けて流れていますから、パーティクルも壁を避けて通ります。この後ろにできている淀んだところは、パーティクルがずっと同じ位置にいて、この穏やかな流れを相流と言います。相流の場合は、少しゆがんでいますけど、赤・緑・赤・緑の順番で出口に出ていくのは変わらず、きちんと並んでいます。ところが、これを乱流という状態にすることができます。乱流の状態にすると、壁の後ろに渦ができるのですけど、この渦はずっと同じところにいません。上が大きくなったり、下が大きくなったりして、これがさっき言っていたカルマン渦というやつなのですけど、これが動き続けます。だからぐちゃぐちゃで、よくわからない乱流という状態になります。相流は赤と緑が順番に出ていきますが、これは混ざらないということです。ところが、乱流にするとぐちゃぐちゃですから混ぜるということで、化学工学はこれです。どうやってこんな状態にするか、ということをずっとやっているわけです。だから攪拌槽だったら邪魔板と言われるものを入れてみたりします。今のこの絵は、先ほどの格子ボルツマン法の式を入れただけで、非常に簡単なのです。今見ていただいているツールは、福岡大のFU_boxというファイル共有システムの中にあります（https://fukuoka-u.box.com/s/e8dayyjy000zgums3otz14ko1fl1regq）ので、もし興味があればダウンロードしてみてください。

LBMのフローチャートを図13に示します。

フローチャートだけ見ると、外力があって、速度を出して、衝突させて、並進させて、tということで、ここはファイル出力はいりませんだから、この間をぐるぐると回っているだけです。非常に簡単で、プログラムで言えば数10行あればできると思います。もう1つ、格子ボルツマン法はかなり変な形でもある程度解きやすいという利点があります。なぜ解きやすいかというと、壁があったときに、粒子ですから、粒子が入ってきたら、反対方向に跳ね返してやるだけです（図14参照）。他の方法では、壁面の接線方向と法線方向を出さないと、うまく構造の力のつり合いが取れず、そこは非常に難しいポイントで、数学的にややこしいです。しかし、格子はただ単に、来ました、跳ね返します、で終わりなので、非常に簡単です。だからこそ先ほど、マウスで簡単に操作したら、それが壁になる、ということが可能なのです。ただ、跳ね返すところを四角にしていますから、格子と格子の間に壁面がある場合にがたがたになってしまいます（図15参照）。

がたがたになるのを防ぐ工夫も一応ありますが、かなりややこしいです。

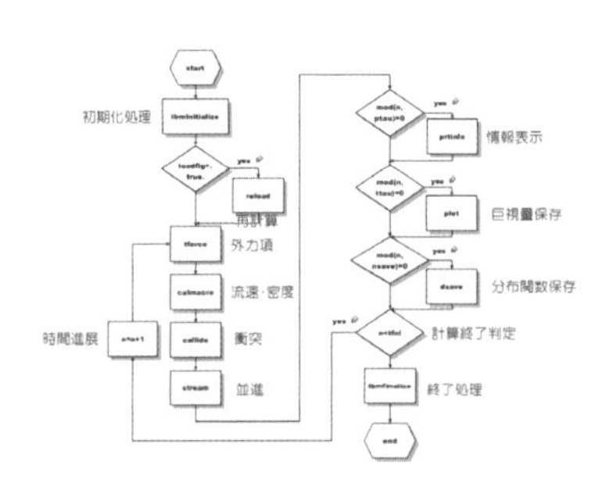

図13　LBMの一般的なフローチャート

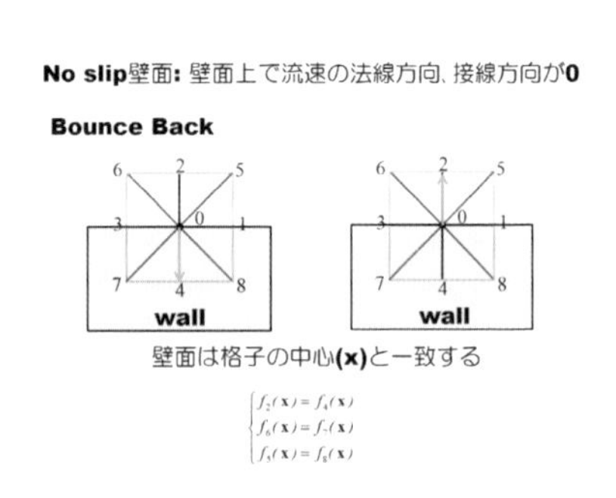

図14　格子ボルツマン法における反射の処理

ここまでが単相流、水なら水だけの話です。今から混相流にします。図16を参照ください。混相流にする時はどうするかというと、図11の式に粒子間相互作用を追加します。粒子間相互作用は、例えば同じ種類の粒子同士は集まる、などの力のことです。この力を追加すると、例えば赤と緑と青みたいに二層に分かれます。そうすると図16の右側はレイリー・テイラー不安定性というのですけど、重い液体が上にあって、軽い液体が下にあると、上の方は落ちてきます。これを計算するとどうなるかというと、上から落ちてきて、ばらばらになって、上に残っていた雫みたいなのがぽちゃんと落ちて、合体して、とうような流れが計算できます。これは結構複雑な流れですが、格子ボルツマン法はこれが得意です。図4でお見せしたように、混相流の数値計算手法には様々なものがあり、全部に得意不得意がありますが、どの方法でもできないことはなくて、格子ボルツマン法ができることは他の方法でもできます。格子ボルツマン法ができないことは、他の方法でもできないです。しかし、オフであれをやろうとすると、他の数値計算手法では結構大変になります。オフでやろうとすると、今のぐちゃぐちゃになって、時々刻々動いている状態の界面（青と赤の境目）の接線はどこを向いていて、法線はどこを向いているか、これを全部計算させることは大変なことです。速度も必要です。しかし、格子ボルツマン法はそれが不要になりますので、こういう計算が得意ということになります。

粒子間相互作用のモデルについて、図17にまとめています。1つ目の

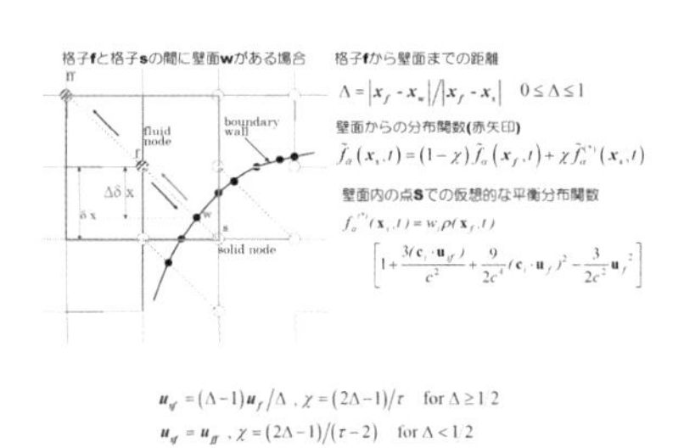

図15　曲面への適用

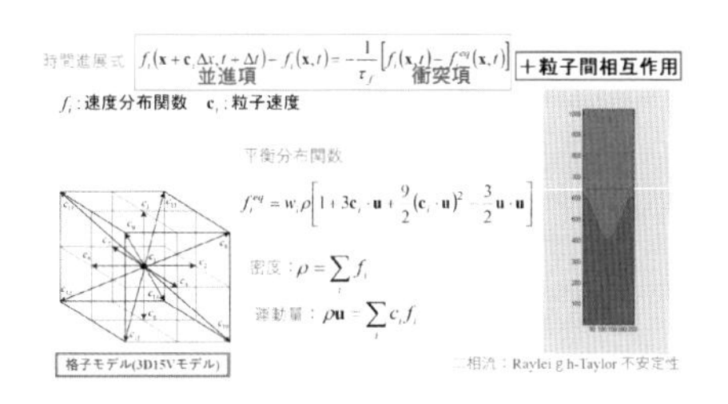

図16　二相流への拡張

Color-Gradientモデルは、粒子に色を付けるモデルです。赤い粒子は赤い粒子同士が集まり、青い粒子は青い粒子同士が集まる、という規則を与えます。これは本当の物理学としての凝集とは全然違うのですけれど、一番最初にできたモデルです。それから2番目に出てきたのは、現実の粒子間相互作用ではないですが、それを簡単にしたような相互作用を入れましょうというFree-Energyモデルで、最近主流なモデルです。これは実際の物理学の現象に基づいてエネルギーを定義して、それらが起こす相互作用を入れましょう、というモデルです。これが一番、実際の物理に近いもので、いろいろな現象を扱うことができます。だから、実現象に一番近いモデルがこのFree-Energyモデルだと言われて、今一番使われています。しかし、Color-Gradientモデルも実は死んでいなくて、筑波大学の齋藤さんは、福島でデブリが溶けて、水の中に溶けたデブリが突っ込んだ時にどんな状態でばらばらになっていったか、というシミュレーションを行いました（図18参照)。これもデブリという液体と水という液体の相互作用で、液液2層流です。中でどうやってジェットになって溶けていくか、ばらばらになるか、ということをシミュレーションしたものです。これは格子ボルツマン法で計算されていますが、その時に使われているのがColor-Gradientモデルです。だから、物理とはちょっと違うのだけど、Color-Gradientモデルは非常にシャープに界面を捉えることができるという特徴があります。後で見せる私達が計算したモデルはFree-Energyモデルを使っていますが、Free-Energyモデルの

- Color-Gradient モデル
  - 格子ガス法と同様に、粒子に色づけを行い異なる相を表現
- Pseudopotential モデル
  - 仮想的なポテンシャルを与えることで自発的な相分離を表現。比較的初期の二相LBMモデル
- Free-Energyモデル
  - 非平衡熱力学に基づく系の自由 エネルギーを導入。二相の界面形状が系の自由エネルギーが最小となるように自律的に変形して決まる。現在最も多く使われているモデル

下に行くほどより実現象に近いモデルと言われている

図17　粒子間相互作用の種類

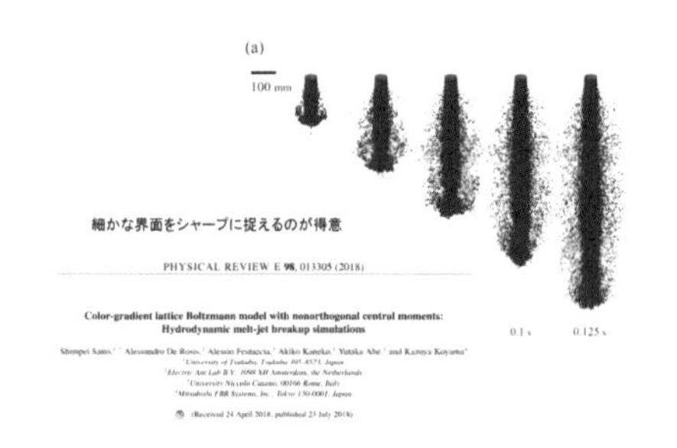

図18　デブリが水中で溶ける
シミュレーション

弱点は、界面が厚みを持っている点です。例えば、泡の場合、ここは水、ここは空気とはっきり分かれて見えますが、Free-Energyモデルでは、境界に膜のようなものがあるイメージで、水から空気に徐々に変わっていくような計算結果になってしまいます。この膜の部分を薄くするためには、非常に大きな体系での計算が必要です。現実的ではないので、ちょっと現実より厚みあるけど、ちょっと目をつぶって、となります。これは他の方法でも多いです。

ここからやっと、私がやっている話に入ります。「焼結ガラスビーズ多孔体への液滴浸潤速度に及ぼす粘度の影響」、「高速攪拌による新規ファインバブル作成法の最適操作条件の探索」、「IGCCガス化炉内の溶融スラグの挙動解析」についてお話したいと思います。「焼結ガラスビーズ多孔体への液滴浸潤速度に及ぼす粘度の影響」は、例えばインクジェットがあったとして、インクジェットは、紙は穴がそこそこ空いていますから、それの上に着弾をさせて、それがその紙の中に染み渡っていって、それで広がって印刷できる、とうことになります。ですので、これが例えば横に大きく広がってしまうと、他のドットと混じって滲みになったりするので、その制御方法は昔から研究されていました。もちろんインク自体も研究対象ですが、この構造も研究対象です。どんな構造にしたらうまく入るのか、これも結構重要です。考えなければいけないことはいろいろあって、液滴側でいうと密度とか粘度とか表面張力があるし、こちらの構造もあるし、これらをどうしたらいいのか、ということになります。そもそも粒の大小により、どうやって入っていくのか、ということをちょっと見てみましょう。ただ、これ実験がなかなかやりづらいのです。なぜかというと、実験をしても中が見えません。CTスキャンを使えばいいのかもしれないですけど、CTスキャンに時間がかかります。1個取るのに数十分かかったりするので、その間に染み込んでしまってなかなか難しいです。なので、数値計算も重要ですよね、という話になります。

イメージをつかんでいただくために、実験からお見せします。図19をご覧ください。まずガラスビーズを焼き固めます。ガラスビーズを取ってきて、きれいなものを選んで、それを焼結といって焼き固めて、固体みたいなもの

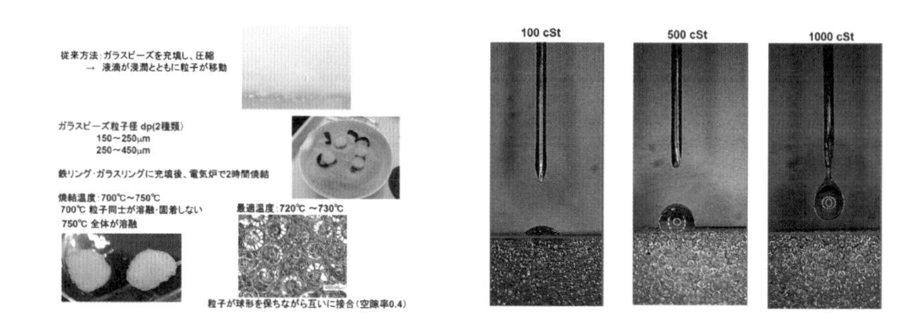

図19　粒子充填層作成方法

図20　湿潤過程

にします。中には穴が開いています。これを作って、横から注射器で落として横から見ます。すると、図20のように落ちて、これはシリコンオイルを使っていますからねばっとしているのですけど、落ちて中にしみ込んでいきます。問題なのは、上はわかるのですが、中はどうなっているのか。これを知りたいのですけど、この実験では見えないということです。ですので、図21のように粒の大きさが違うものを2つ使って、それでさっきのシリコンオイルみたいなのを置いたらどうなのかということを調べてみました。

これは、液体と固体と、それからこの上の気体のガスガンを解いています。解いているので、固気液3相流です。それで、液体と固体の球の間に接触角があるのですけど、これはどれぐらい濡れるかという値となります。接触角が撥水性というのは、蓮の葉の上の露みたいな状態です。撥水性の場合は、上側は丸くなって終わりですが、下側は親水性にしているので、中に毛管現象でしみ込んでいます。色が変に変わっているのは、時々刻々と変わる内圧に対応しています。

定性的な比較ですが、時間を合わせて実験結果とシミュレーション結果を動画で見ると、高さ的にもまあまあそんなに違ってはいません（図22参照）。内側にしみ込んだ様子を図23の示します。図23の上側がdpが6.0の場合です。これは、上に置いた液体の直径に対して、細かい粒が入っていることになります。細かい粒のほうは、上から見ると枝葉を伸ばすように広がっています。横から見ると、球と球の隙間の毛管を選んで入っていく感じです。少しずつ広がっていく様子が見て取れます。これに対して、図23の下の方が粒が大きいものの結果です。特徴的な違いとしては、細かい粒の場合は結構横に伸びていっています。それに対して、大きい粒の場合は、どちらかというとまっすぐ下に伸びており、あまり横に伸びていません。多分、流路の細さのせいだと思うのですけど、そんなことが起きる、ということがわかります。だからこれを使えば、あまり横に広がらないようにするのだったら大きな球のほうがいいとか、でも、あまり大き過ぎたら紙としてだめだとか。だから流路にグラデーションを付けるとどこまで入っていくか制御できるのではないか、などと考えるわけです。

この研究をやっていた時に、こんなことをやって意味はあるのかと言われました。なぜかというと、実験と合わせるというけど、この下の土台の構造が違うだろう、ということです。確かにそうだなと思ったので、3Dプリン

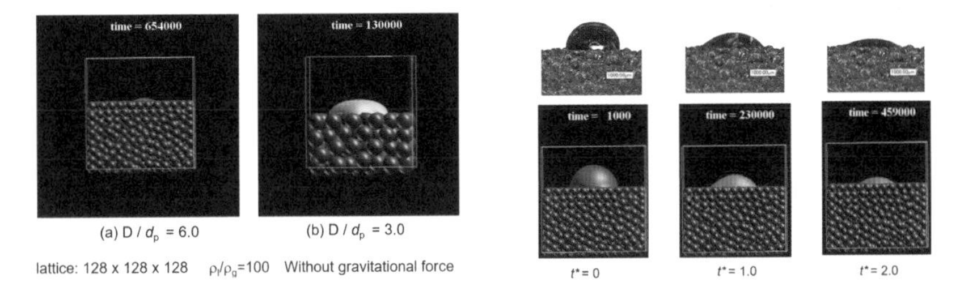

図21　シミュレーションによる湿潤過程

図22　実験結果とシミュレーションの比較（D/dp = 6.0の場合）

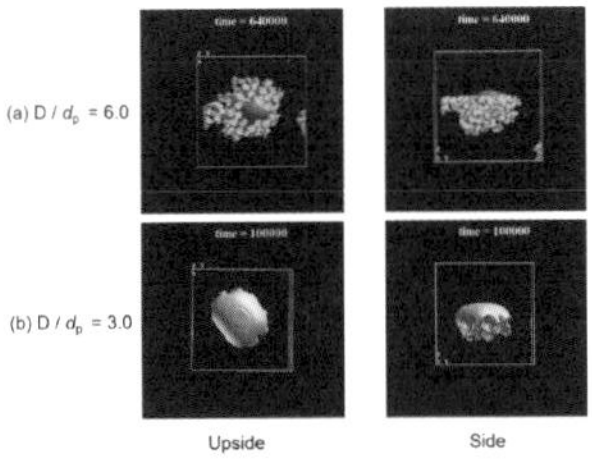

図23　細孔内の湿潤結果

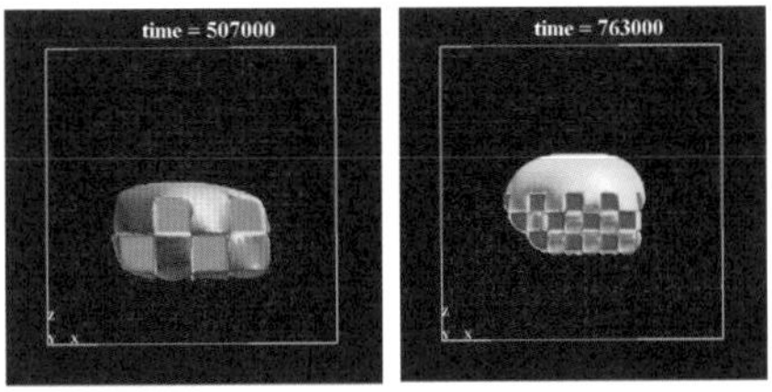

図24　細孔を市松模様とした場合の湿潤結果

ターで四角い市松模様みたいなものを作ったらどうなるだろうと考えました（図24参照)。実際にやってみたら、同じように入っていくということがわかったのですけれど、逆にこっちは難しかったです。何が難しかったかというと、これは四角い角があるのですけど、四角い角はシミュレーションがとても苦手なのです。なぜかというと、四角い角の頂点では法線方向が取れないのですよ。このため、うまく濡れ性などが表現できなくなってしまって、これ以上入っていきません、ということになってしまいます。そうすると、なんかよくわからない、という話になります。

図25は、粒を落とした場合の相対的な高さの変化を比較したもの（点が実験で線がシミュレーションで）ですが、合っているような気もするし、ちょっと違うような気もするし、くらいです。これが1つ目の計算になります。

2つ目の計算は「高速攪拌によるファインバルブ作成の最適条件探索のための数値計算」です。ファインバブルは近頃はシャワーヘッドや洗濯機に使われています。ファインバブルは、汚れよく落とすと言われており、他にも、殺菌をしたり、生物活性の役割を果たしたりしています。最初に生物活性が使われたのは、カキの養殖らしいのですけど、入れたらカキがすごく大きくなるので、みんなで使うようになりました。ファインバブルの作り方は、基

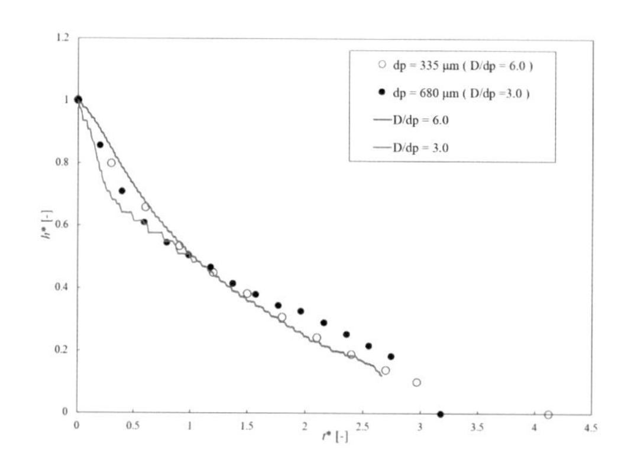

図25　粒の相対的な高さの変化

本的にはこれも混相流なのですけど、気体と液体があった時に、液体のほうをものすごい速さの気体で引きちぎります。引きちぎったり急縮小したりして作ります。要はぐっと押したりして作るやり方とか、あるいは最初に気体に圧力をかけて溶かし込んでおいて、それを減圧して作る、などの方法があります。私達がやりたかったのは、お薬の中にファインバブルという細かい泡を作ることでした。これは、エコーの際の超音波の造影剤にこの泡を入れる、という目的でした。私も娘がいて、今もう22歳ですけれど、まだ彼女がお腹の中にいた時に超音波エコーで見せてもらいました。ここが頭ですとか、足ですとか見せてもらったのですけれども、何か物体があるだけで、何もわからないと思ったのです、だけど、今は本当にちゃんとやれば表情までわかるようになっていて、それぐらい進んでいるのです。もちろんその機械がよくなったというのもあるのですけど、造影剤もよくなったと言われています。これは何のために開発したかというと、癌です。膵臓癌は一番見つけにくくて、見つかったらもうアウトに近いというものですが、その膵臓癌を発見することが目的でした。お薬の中に気泡を入れると、超音波が当たるときに気泡が振動します。振動すると、来た超音波を跳ね返す力が強くなるので、これでSN比が上がってくっきり見え、よくわかる、とうことになります。ところが、お薬は非常に高くて、1瓶で10万円とか当たり前の値段になります。ファンバブルの代表的な生成方法を用いると、リッターとか、10リッターとか、20リッターのお薬がいる時に、そんなに用意できない、という話になってしまいます。ですので、高速攪拌を用いてファインバブルを作ることとしました。高速攪拌は、強く振るというもので、それでファインバブルができるということは福大のお医者さんが発明しました。ところが、どんな割合で気体と液体を入れて、どんな速さで振れば一番いいかというのがよくわかりませんでした。工学部に混相流をやっている研究者がいるから、その人にちょっと計算させよう、という話になりました。福大の試験監督をやっている時に待合室にいたらその先生が隣にいて。ちょっとやってくれないって言われて、わかりました、と答えて始まった研究です。本物は気体と液体だから1000倍密度比が違いますが、実は1000倍密度比をつけるのは

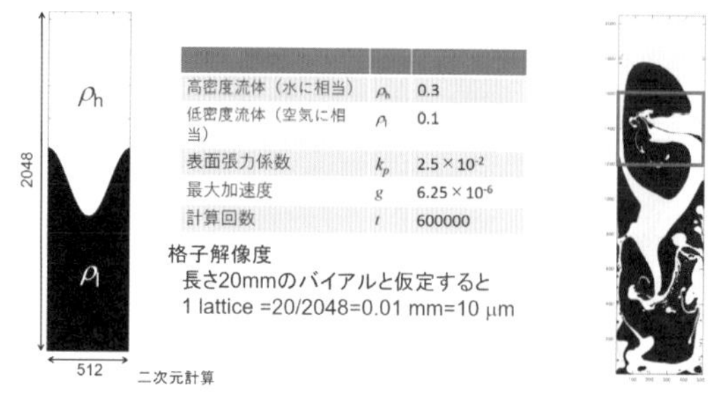

図26　計算体系と計算条件

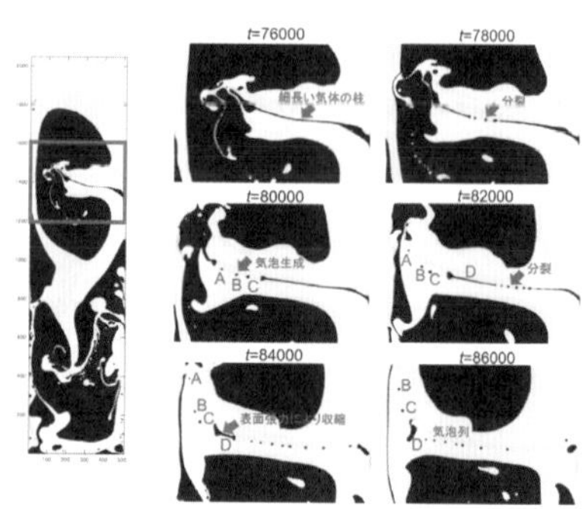

図27　気泡の生成の様子

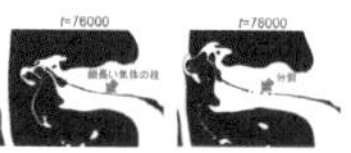

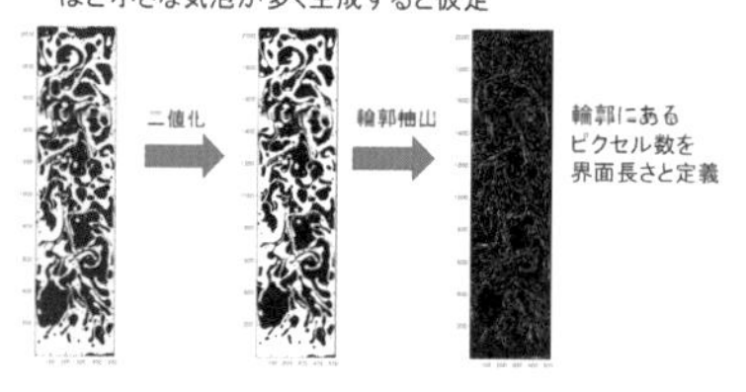

図28　界面長さの測定

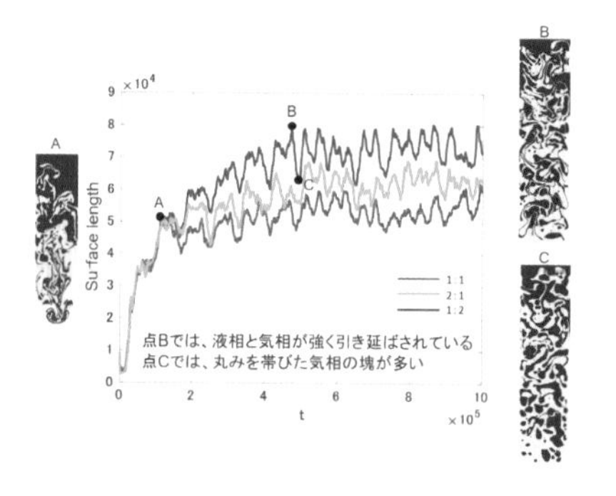

図29　界面長さの時間変動

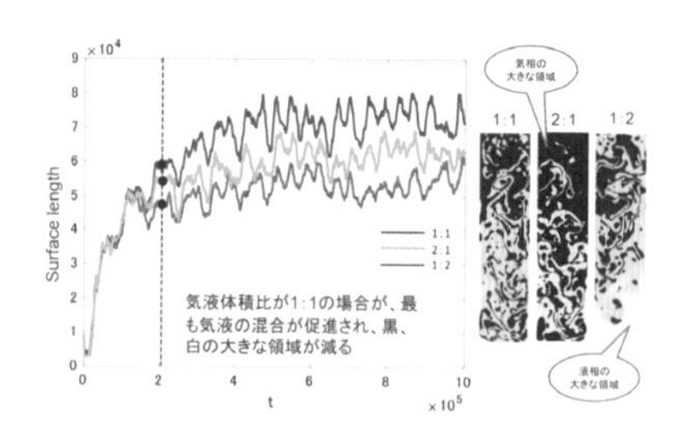

図30　界面長さの時間変動
（t=208000での比較）

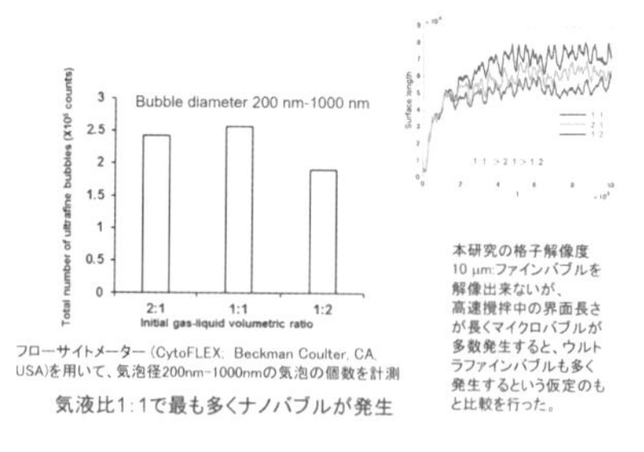

図31　実験結果との定性的な比較

非常に難しいので、3倍で勘弁してください、ということで引き受けました。図26はそのシミュレーションの計算体系と計算条件です。長さ20ミリのバイアルを仮定して、これを振ったような状態にします。最初に調べたのが、液体が多い方がいいのか、気体が多い方がいいのか、それも同じがいいのか、これを調べました。図26で黒いほうが気体で白いほうが液体です。振っていることを模擬するために、周期的にサイン波で力を加えています。それで、サイン波が強くかかった時にぎゅっと伸びて、それで力が抜ける時にちょっと丸くなるという動作をくり返します。そうすると、ぐちゃぐちゃと混ざって、黒い点々ができている泡です。黒い粒々どうやってできているかと観察したものが図27になります。この図のように、細長い気体の柱が伸びて、そこに表面張力がかかっていますから、表面張力で切れて、それが泡になっています。このような生成メカニズムで気泡が生成されています。この粒々の数をカウントすればいいのですけど、カウントするのはめちゃめちゃ難しいというか、あまりそんなに粒はありません。それで、伸びてそれが切れて粒々になるのだから、伸びた長さが長い、すなわち界面の長さが長いほうが泡は多く発生するだろうと考え、泡の数を数えるのではなく、界面の長さを測りました（図28参照）。

界面長さを測って時間的変化を算出したものが図29です。横軸を時間、縦軸を界面の長さとしていて、青が1:1、緑が2:1、赤が1:2です。まず、青が一番高い位置にあるということは、青が一番多く泡ができているのだろうということを表します。その前の図内のA点ですが、これがだいたい混ぜ完了のタイミングです。B点は一番サイン波の力がかかっているところで、気体が細く伸びています。C点は逆に力が抜けたタイミングで、全体的に丸い状態です。この状態をずっとくり返すということです。そうすると、1:1の泡が一番長くなります。図30のように、同じ時刻で1対1、2対1、1対2を比べると、1対1が一番長いです。

なぜかというと、2:1だと黒い部分、この大きな既存の領域が残ってしまうし、逆に1:2だと液体の領域が残ってしまいます。だから、ちょうどいいのは1:1だということがわかります（図31参照）。これは医学部の立花克郎

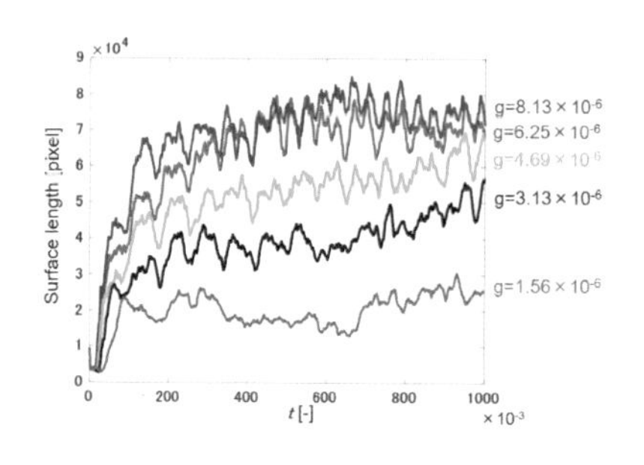

図32　加速度と界面長さの関係

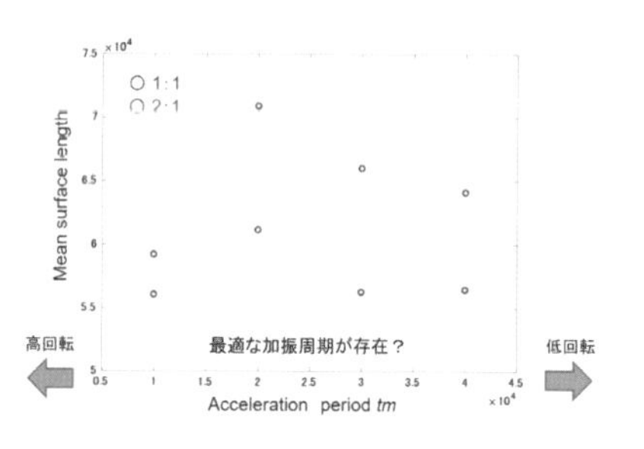

図33　加振周期と界面長さの関係

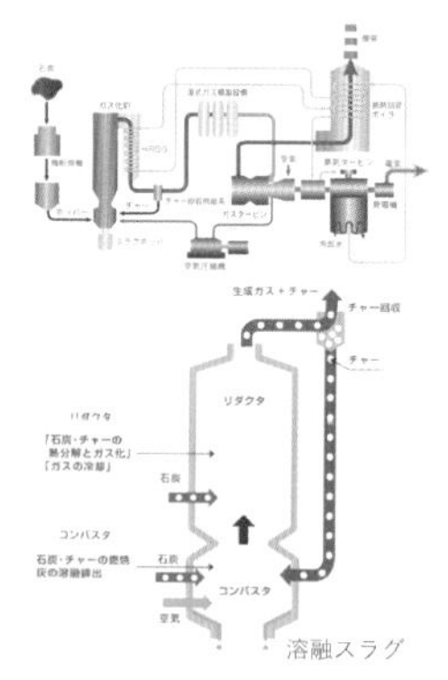

特徴
- 高い発電効率（48〜50%）
- ガラス状の石炭スラグはコンクリート細骨材として利用可
- 従来の石炭火力発電で使用が困難な、灰融点の低い多様な炭種の石炭が使用可能

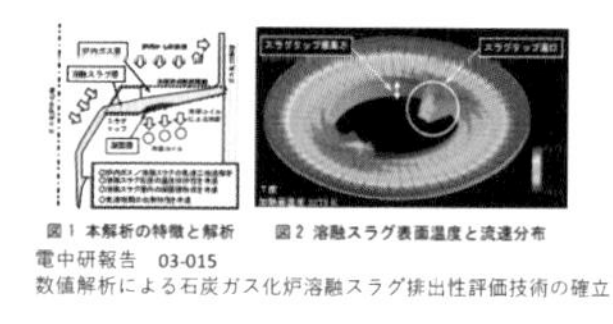

図34　石炭ガス化複合発電システム（IGCC）

先生の研究室で実験してもらった結果です。20ナノから1000ナノメートルの気泡の数ですが、やはり定性的な比較ですけれど、1:1が一番多かったということです。

次に、どれぐらいの加速度をかければいいかを確認しました（図32参照）、

この図を見ると、力をかければそれだけ界面長さが長くなることがわかります。確かにそうなのですけど、だんだん飽和してくることがわかりました。だから、あまりむやみに速く振り回しても意味がないということがわかりました。最後に、どれぐらいの速さで振ればいいのかという周期の問題ですが、図33に示すように1:1と2:1で比較しましたが、、どちらもどこか途中に最

大値が来ていて、最適な周期がどこかにある、という結果になりました（図33参照）。これは多分ブランコと同じで共振という現象ですけど、どこかに最適なところがあるとうことです。これも同じように、水がビンの底に戻ってきた瞬間に押して上げる、という周期があることになります。

最後の「IGCCガス化炉内の溶融スラグの挙動解析」については、何をやっているかだけご覧ください。石炭ガス化複合発電システム（IGCC）は火力発電所です。図34をご覧ください。

従来の石炭の発電は、石炭を細かく砕いてそれを燃やします。燃やした熱でお湯を沸かしてそれでタービン回すという方式です。IGCCは石炭をそのまま燃やすのではなくて、1回ガス化します。石炭は炭素や水素か亀の子状にくっ付いている物質ですが、それをばらばらに分解して、最終的に水素と一酸化炭素まで持っていくことができます。水素も一酸化炭素も燃えるので、ガスタービンというところを通して燃やします。ガスタービンのイメージは何かというと、旅客機の翼の下についているジェットエンジンが一番近いです。ガスタービンで出てきた排ガスは、ジェット機の後ろもそうですけれどまだ高温です。高温なので、その熱を使ってもう1回蒸気を作ってそれで蒸気タービンを回すことが可能です。2段階なので複合発電です。これが特徴なのは、高効率であるということと、褐炭などの今まで使うことができなかった多様な石炭を使うことが可能である点です。石炭は、今までは無煙炭など、すごく燃やしやすいものを使っていましたが、だんだんそれが手に入りにくくなってきています。多様な石炭が使えるということで、いろいろな研究が行われています。私はこの中で、灰が溶けてガラス状になったものについて研究しています。ガラス状になった灰がどろどろと溶けて出てきますが、石炭によってどろどろさ加減が全然違います。ものすごくしゃばしゃばなものもあれば、温度が低くなるとぎゅっと急激に粘度が上がるものもあります。これらすべてに対応できるゆぶちの形状の設計はどうすればいいのか、ということはよくわかっていません。よくわからないんでシミュレーションします、という話です。結果だけ見せますが、図35はゆぶちの幅を変更した場合の挙動を比較検討したものです。

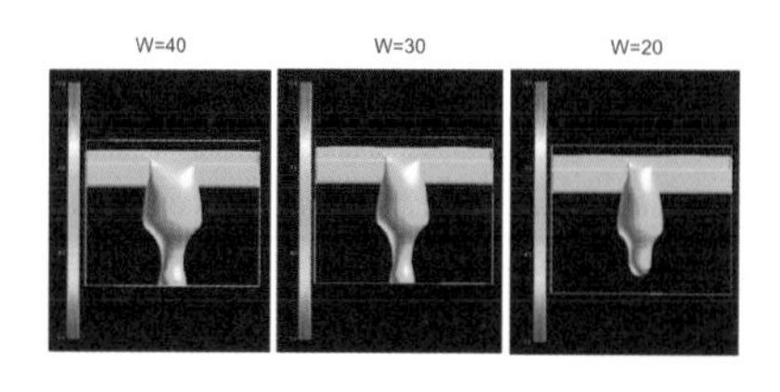

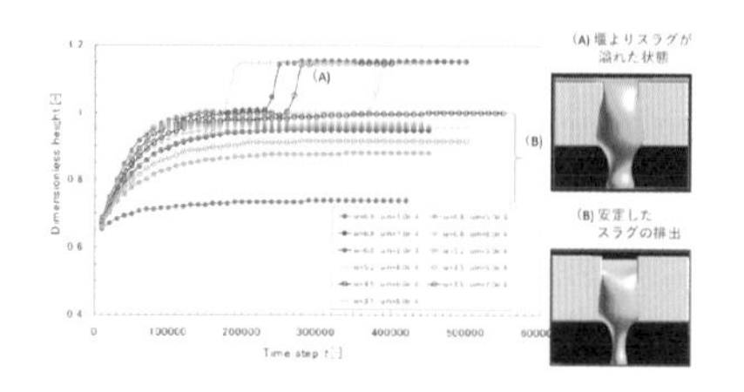

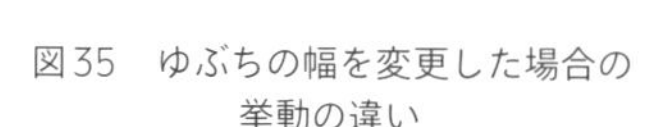

図35　ゆぶちの幅を変更した場合の挙動の違い

図36　ゆぶちの幅と最大液位

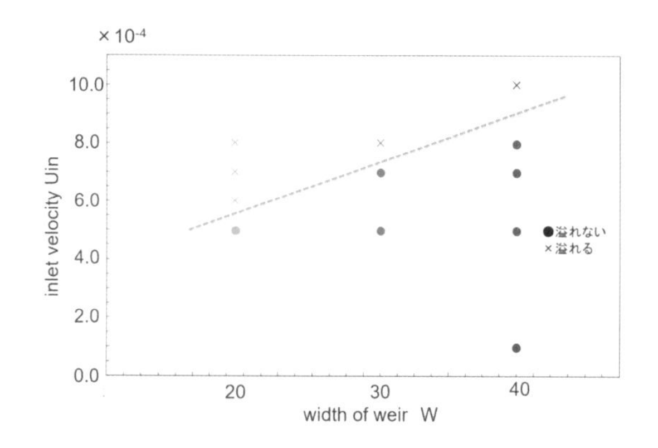

図37　ゆぶちの幅と入口流速による溢流状況

この図は前から見たものですが、ゆぶちの幅を変えて何がわかったかというと、あふれる時とあふれない時がある、ということです（図36参照）。天井まで張り付いているのがあふれたというです。これになるとアウトです。これを起こしてしまうと炉が止まってしまうから大変なことになるのですけれども、今はこうならないように作業員さんたちが目で見て、ちょっとやばそうだから温度高めようと、いうことをしています。アウトとセーフはどんなふうになるかというと、図37にゆぶちの幅と入口流速による溢流状況をまとめています。

この図では、横軸がゆぶちの幅で、縦軸が入ってくる流量です。幅を広くしたら、たくさん流しても溢れないということがわかります。

ということで結論ですが、化学工学というのは混相流のかたまりです。ですから、課題もすごく多くあります。計算によって解決したいというニーズは極めて高いのですけど、そのニーズに応えられるようになってきたのはごく最近です。1000倍の密度の違いは昔は計算ができなかったのですけど、今はできるようになりました。今計算したのは全部ニュートン流という水や空気ですが、世の中の水とか空気だけではなく、これを計算するには非ニュートン流を計算するための工夫がいるのですけど、これもわりとできるようになった。なので、今後ますますこういった計算が出てくると思います。

私の単相流・2層流のモデルのサンプルプログラムは私のホームページのLBMプログラムのページ（https://www.cis.fukuoka-u.ac.jp/~ymatsukuma/lbm.html）にありますから、もしご興味があれば取って自由に使ってください。先ほどの2層流とか、液体が丸まっていく様子とか、それが計算できます。私はここまでLBMのことをしゃべってきましたけれど、実はそれほど詳しいわけではなくて、LBMの第一人者を紹介します。ご退官されましたけど、京都大学大学院工学研究科航空宇宙工学専攻の稲室隆二先生、それから、私の博士課程の同期で、隣に机を並べていた富山大学工学部工学科瀬田剛先生、それから稲室先生のお弟子さんの信州大学工学部機械システム工学科吉野正人先生などです。こういう方々がお詳しいです。ご清聴ありがとうございました。

7

音線法を用いた屋外空間における音声の聞き取りやすさの可視化

講演者：佐藤逸人先生

神戸大学大学院工学研究科建築学専攻 准教授

主催

神戸大学大学院工学研究科グラフィクスリテラシー教育研究センター

共催

日本建築学会近畿支部環境工学部会
日本図学会関西支部
神戸大学V.School

協賛

（公社）化学工学会SIS部会ダイナミックプロセス応用分科会

神戸大学の佐藤です。「音線法を用いた屋外空間における音声の聞き取りやすさの可視化」というタイトルで発表させていただきます。本日の内容を簡単にまとめると、次の通りです

・音声の聞き取りやすさの可視化：インパルス応答の予測
・Unityによる幾何音響シミュレーション
・屋外空間における音声の聞き取りやすさ

まず音声の聞き取りやすさについてお話します。今、私の声がZoomを通してどれぐらいの聞き取りやすさで聞こえているかちょっとわかりませんけれども、聞き取りやすければ、例えば色を赤にする、聞き取りにくければ色を青にする、それが可視化となりますが、それができるかどうかというのが今日のテーマになります。音声の聞き取りやすさというのは、後でまた説明しますけども、音圧が大きければ聞き取りやすい、すなわち聞き取りやすくなる、というわけではありません。どういった音の条件が揃えば聞き取りやすくなるのか、ということで、インパルス応答について少し基礎的なところから紹介させていただきます。

次に、これが一番この本講演のタイトルと関係が深いところだと思うのですが、Unityによる幾何音響シミュレーションを説明させていただきたいと思います。これは、もともと音の講義のデモ用で作成したものだったのですが、今は研究でも利用しています。その応用先として屋外空間における音声の聞き取りやすさの研究をしています。防災行政無線というシステムがありますが、これは高さ15mぐらいのポールの上にスピーカがついていて、ここからいろいろな地上放送を流す屋外拡声システムです。このシステムの聞き取りやすさの評価にUnityによる幾何音響シミュレーションが使えるのではないかということで研究をしています。

今日、いろいろな話をして最後にたどり着くのが、このマップです（図1参照）。

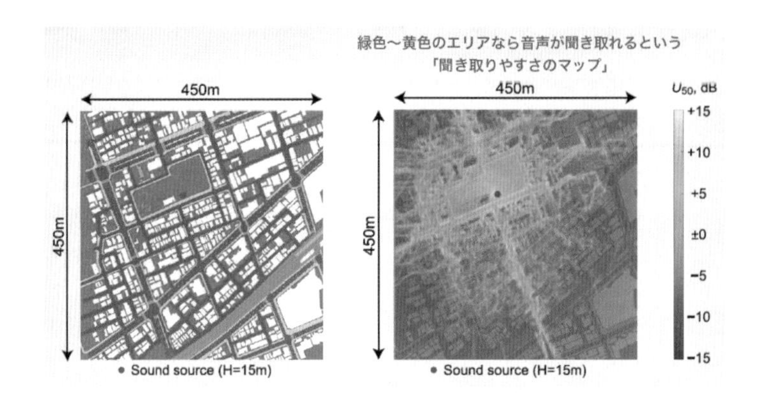

図1　六甲駅近くのマップ（左）と音声の聞き取りやすさを可視化したマップ（右）

左の図は神戸大学の近くの六甲駅近くのマップですが、ここには公園がありまして、ここの公園に先ほどお見せしたような屋外拡声システムが1つ配置されています。ここから出る音声が、どれぐらいの範囲に聞き取りやすく届くか予測したものが図1右のマップになります。この右のところにカラーバーがあって、U50と書いてありますが、これがインパルス応答というものから算出できる音声の聞き取りやすさの指標になります。この図では、青から黄色になるにしたがって、音声が聞き取りやすくなります。このU50を音響シミュレーションで計算すると図1右のようなマップを作ることができる、という話ですが、今日はその間を埋める話をしたいと思います。幾何音響シミュレーションを行うと、音が球状に広がっていく様子がわかります（図2参照）。

建物に当たると音が反射することを評価して最終的な音声の聞き取りやすさというものを予測することができるようになります。このためのプロセスを順を追って説明していきたいと思います。

まず音場の可視化を説明いたします。音場という言葉は音響の専門ではない方にはなじみがない言葉かもしれませんが、これは音が発生している場全体のことです。音は空気を媒質として伝わっていくものなので、空気が存在するところ全体が音場ということになるのですが、音場をシミュレートして

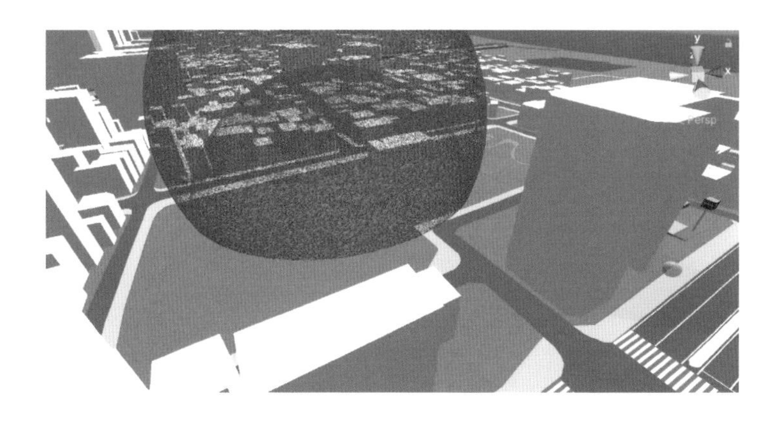

図2　幾何音響シミュレーションの様子（セミナーでは動画で紹介）

可視化する技術こそが音場の可視化になります。一般に音場の可視化というものを考えた場合、多くの場合は音圧の時間変化がターゲットになります。空気が圧縮されたときに音圧が高くなり、引っ張られたときに音圧が低くなることになります。これが時間によってどう変化するか、空間的にどう伝搬していくか、これを可視化するのが一般的な音場の可視化の技術となります。一方で、本セミナーのテーマは「音声の聞き取りやすさ」ですが、音圧の時間変化をシミュレートしたときに、その場の音圧が大きければ音声も聞き取りやすいのかというと、ある程度は真実ですが、そうではない場合も多いということになります。何をシミュレートしたら、音声の聞き取りやすさは可視化できるのだろうかということを考えています。

一般の方が音という単語を聞いたときに暗黙的に理解されていることではありますが、音というのは2つの側面があります。1つは音波という言葉が一番わかりやすいと思うのですが音の物理的な側面です。スピーカがあって、そこから音波が出て、空気の粗密がどんどん伝わっていくというものです。音波が人の耳に届くと、人の頭の中に音波の物理的な特徴に応じた音のイメージが生じます。さらに、生じた音のイメージを自分のこれまでの経験や知識と照合することによって、音声になったり音楽になったりというように認識されます。これは心理学的に認知ということになります。音声の聞き取りやすさというのは、まず音が音声として認知されて、それ以降の話となります。ですので、音圧が高いからといって聞き取りやすいとは限らないということになります。結局、どういった条件が揃えば聞き取りやすくなるのかを考えないといけないということになり、音波のどのような特徴が音のイメージである音像に影響するかを把握する必要があります。

音声の聞き取りやすさには、インパルス応答というものが非常に重要な影響を及ぼします。室内の継続時間が非常に短い音であるインパルスを鳴らしたときに、測定点ないし受聴点で観測される音のことをインパルス応答と言います。端的には、パンと手を叩いたときに少し響いて音が聞こえますが、これがインパルス応答を耳で聞いたときの音ということになります。このインパルス応答から、建築音響の分野では非常に重要な指標として使われている残響時間を算出することができます。残響時間は音の響く長さであり、例えばコンサートホールでは2秒など決まっている値があります。インパルス応答からは、残響時間をはじめとしてさまざまな物理量を算出することできます。またこれは可視化と同じぐらい重要な技術ですが、可聴化という技術があります。音場のシミュレーションで得られた物理量を用いて音声をその場で聞いたような音に変換することもできるのですが、その場合もインパルス応答は非常によく使われます。

インパルス応答と響きについて説明させていただきます。部屋の中に音源と受音点があり、この音源からインパルス信号を出すと、音源から受音点に直接届く音が一番早く強く届き、これが一番最初のパルスとして出現しますが、これを直接音と言います（図3参照）。さらに、壁に反射して受音点に届くという反射音もありますが、これは経路が少し長くなるため、少し遅れてさらに少し弱い音となります。直接音よりも弱くなるのは、経路が長いこともありますが、壁で吸音されることも原因となります。少し遅れて少し弱い音が次に届きますが、これが順次続いていくことになります。いろいろな壁から反射してくるため、インパルス応答が形づくられることになります（図3参照）。

最初に来る直接音の次に到達する反射音は初期反射音と呼ばれるもので、

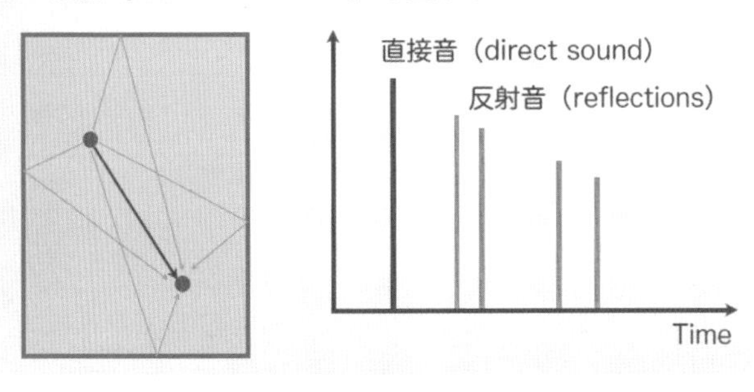

図3　音源と受音点の間の音の伝搬（左）とインパルス応答（右）

直接音から50ms程度短い時間で到達しますが、初期反射音は直接音を補強する働きがあり、音声の聞き取りやすさという観点では有効なエネルギーということになります。

一方で、初期反射音以降に到達した反射音は、音が響く感じで、直接音の長所を邪魔するエネルギーになります。こちらの反射音を後期反射音あるいは残響音と呼んでいますが、音声の聞き取りやすさという観点からは有害なエネルギーということになります。

次に防災行政無線の話をしたいと思います。防災行政無線というのは冒頭にお話をさせていただいたように、ポールを立てて上にスピーカがついたもので、だいたい8割の自治体が既に整備しているものです。この情報過多の現代で、携帯などさまざまな情報伝達の手段がありますが、特定の機器を持たない不特定多数の人に一斉に情報を発信できることは重要なポイントです。また、情報化社会は過渡期の中で、いわゆる情報弱者という方々でも情報入手できるソースとしての役割も果たしています。ですので、現場の方々にうかがっても、まだしばらく使われるだろうと言われています。神戸市の場合は市内163ヶ所に屋外スピーカが設置されていて、毎月17日の17時に設備確認のためのテスト放送が行われています。ただ、この屋外拡声システムの問題として、スピーカの仕様によって異なるのですが、音の到達範囲が

300～500mである点があります。また、ただし書きで、気象条件や周囲の構造物の影響により必ずしもこの到達距離が保証されるものではありません、という点が明記されています。300m～500mと書かれていますが、実は100m離れたら聞こえないこともあるわけです。ですので、300mや500mと聞いたときに、スピーカを中心として半径300mの円の中だから聞こえるのではないかと思いがちで、あるいは実際にはそのような想定で設計をしたりしますが、実際には建物の影響や地形の影響などで聞こえないエリアが出てきます。このため、聞こえないエリアがどこであるかとうことは実はしっかり考えないといけないのですが、そこまで技術が追いついていないというのが現状です。

ここで、屋内における妨害音、いわゆるエコーというものに関する音を実際に聞いてみたいと思います。これは結構前のことですが、東日本の大震災が終わってすぐくらいの頃に、宮城県で防災無線の関係するプロジェクトの研究に参加したときに測定したものです。おそらくみなさまも、防災行政無線の音声の聞こえにくさの原因の一つとして、エコーというのがあるのではないかと感じられたことがあるかもしれません。要は、音が2つに分かれて分離して聞こえるという状態です。これをシミュレートしたのがこの音源になります。まず、インパルス応答ですけれども、パンパンパンという音です。次に無響室で録音された文章を読み上げたものを聞いていただきます。「（録音の再生）親譲りの無鉄砲で、子供のときから損ばかりしている。小学校にいる時分。」この無響室録音と先ほどのインパルス応答を用いて畳み込み積分を行うと、先ほどのインパルス応答を測定した場所での音声が再現できるということで、こんな音になります。「（無響室で読み上げた音声に残響が付加されたものの再生）親譲りの無鉄砲で、子供のときから損ばかりしている。小学校にいる時分。」特に一番聞きにくいと思われるところで測定したのですが、3つの子局スピーカからだいたい同じぐらいの距離で、少しだけずれている場所で測定を行うと、3つのスピーカからの音が干渉するという形になります。それでエコーになって聞こえづらいという状況となります。ですので、この屋外拡声システムの音声の聞き取りやすさというのを評価する上では、こういったインパルス応答をシミュレーションで予測することが非常に重要になります。

そこで出てくるのが、先ほど説明したU50という物理指標です。これは有効なエネルギーと有害なエネルギーの比率で算出する指標です。この指標を使えば聞き取りやすさを予測できるマップが作ることができます。最初スピーカから直接届く直接音と初期反射音が聞き取りやすさに有効なエネルギーとなり、それ以外の部分は有害なエネルギーとなります。また、実際の現場では残響音だけではなくて暗騒音もありますので、これも有害なエネルギーとして考慮します。すなわち、有効なエネルギーと有害なエネルギーの比率をとって、この値の10log10の値であるいわゆるデシベルという単位に換算したものがU50という数値となります。これを使うことで聞き取りやすさというものを可視化することができます。

このU50がどれぐらいの数字だったら、実際聞きやすくなるのだろうかということになるのですが、U50の値を横軸、単語了解度を縦軸に取り、関係をプロットすると図4のようになります。

単語了解度は、ある日本語の単語をいくつか聴視者に聞かせて、その何割が正しく聞き取れたかを示し、この数値が高いほうが音声は聞きやすいということになります。U50の値がプラス5になると単語了解度は十分100%に

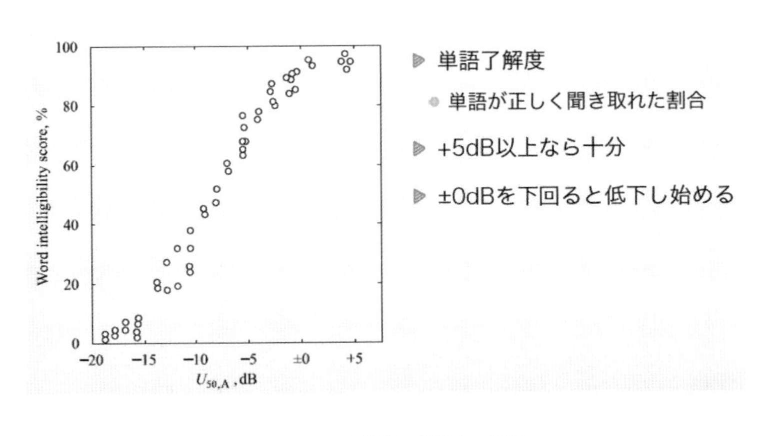

図4　U50と単語了解度との関係

近い値となります。一方でプラスマイナス0デシベルぐらいの値を下回ってくるとだんだんこの単語了解度が低下し始めるので、U50がプラスの値になっていればまあまあ聞き取りやすい評価となり、プラス5デシベルを超えてれば十分聞き取りやすいということになります。

では、ここまででインパルス応答の話はいったん区切りにして、音響シミュレーションの話をしたいと思います。音響シミュレーションには、計算コストが高い波動音響シミュレーションと、今回私が利用している幾何環境シミュレーションというものがあります。まず簡単に波動音響シミュレーションを説明したいと思います。これは音が本来持っている波動性、すなわち位相を考慮したものです。イメージとしては、音場全体つまり空気がどのように動いているかをシミュレートするのが波動音響シミュレーションということになります。原理的には厳密な解析も可能なのですが、やはり計算量が多いことと、特に今回ターゲットする都市空間のような広範なエリアではなかなか適用が難しいということになります。

もう1つの方法が幾何音響シミュレーションです。これは音を粒子として扱います。波動性は無視して、あるエネルギーを運搬する粒子を考えます。それが四方八方に飛んでいくということで音をシミュレートするものです。ただこれは近似なので、特に音の波動性の影響が大きい低周波数域では誤差が大きくなります。一方で、計算が比較的容易なので、大空間の解析によく用いられる方法です。方法としては音線法と鏡像法という2種類があるのですが、今日紹介するのは音線法という方法です。音線法では、「音は直進していって、ある境界面で反射するが、反射波との干渉や開口部等での回折等の波動現象は考慮しない」という仮定でシミュレーションを行います。イメージとしてはビリヤードの玉みたいなもので、球が飛んでいって壁で反射することをくり返す、ということになります。具体的には、音源からの音粒子と呼ばれる音の粒をたくさん放射して、それぞれがどのように動いていくかを追跡します。この際、1つ1つの音粒子が一定の量のエネルギーを運搬していくというように考えます。この場合は音場全体というのを可視化しやすいという特徴もあります。この方法によりインパルス応答に近いものを求めることが可能です。ただし音粒子の数が少ないほど誤差は大きくなります。また、音の場合は吸音というものを考える必要があります。ここに壁があるのですけれども、この壁が吸音率0.3であったとします。すると、壁に粒子が当たったときに、今まで運搬していたエネルギーが1だったとしたら、その30%を失って反射することになり、反射後のエネルギーは0.7となります。またこのシミュレーションでは乱反射率を境界面に設定しています。例えば乱反射率を10%とした場合は、90%の割合が鏡面反射となります。残りの10%は乱反射となります。つまり入射角と反射角が一致するような鏡面反射ではなく、ランダムな方向に反射が起こるというような設定とします。通常の幾何音響シミュレーショですと、ある一定の反射回数を超えると全てを乱反射とするような動作を入れることが多く、私のシミュレーションにも機能としては実装しているのですが、今回はこれを使っておりません。本当は、気象の影響や回折を考慮する必要があり、非常に高度な音線法のシミュレーションでは回折を実装しているものもあるのですが、そこまでは対応していません。また、音粒子というのは結局、本当は一つの立体角を代表しているものになり、距離が広がっていくと面積も大きくなっていくのですが、そういった取り扱いはしておらず、ただ1つの音粒子が飛んでいく設定としています。

幾何音響シミュレーションですが、ゲームを作るための開発環境であるUnityというゲームエンジンを使って音線法のシミュレーションの環境を整えています。Unityを使った理由ですが、まず3Dモデルの作成と取り込みが非常に容易であるという点です。市販の幾何音響のシミュレーションプログラムだと、一点一点座標を入力して反射面を作り、部屋を作るという処理をしないといけないのですが、Unityの場合、まずボックスを作り、その形状を適当に変えて壁を作るように簡単にモデルを作ることが可能です。また市販の3Dモデルも簡単に取り込むことができます。今回も街区のモデルは市販のものを使ったのですが、そういうことが一瞬でできてしまうので、そこに魅力を感じたということです。また音線法の場合は、境界面と粒子の衝突判定を頻繁に行わなければいけないのですが、これはゲームエンジンが得意とする分野で、それを扱うための組み込み関数もいろいろあります。ですので、音線法のシミュレーションを大変容易に組み込むことができました。

また、今日のセミナーのテーマに強く関係している点ですが、音場の可視化もUnityが得意な分野です。音粒子が飛んでいく様子を簡単に動画にすることができます。さらに、限界はありますけれども、通常ですと定点をカメラで映した状態でしか動画を作ることができないのですけども、シミュレーションを走らせながら視点を変更することが可能です。この辺りは、音場を観察するという意味では非常に使いやすい思ってUnityを使っています。インパルス応答を算出するというところまでは、システムに組み込んでいます。

まず、そのシミュレーションがどのように動いているかについて、音粒子の数を20個だけ飛ばしたときにどのように見えるかということで説明します（図5上参照）。ここの赤丸から音が出ていくのですが、最初はこれが全部1点に集まって、次に飛んでいき、あとはビリヤードの球のように反射しながら音が飛んでいきます。しかし音粒子が20個だと、音がどういうふうに伝搬するかというのはよくわかりません。何かランダムに点が飛んでいるという感じになります。色が変化しているのは、反射したときにエネルギーを失って吸音された結果、それぞれの粒子が運んでいるエネルギーに比例して色量を変えるということを表しています。音粒子の数を5万個ぐらいに増やしてみた場合ですが、音が出た時に位相が揃っている面を波面というのですが、その波面をしっかりと見ることができます（図5下参照）。

これぐらいの数だと、飛んでいった音粒子が繋がって1つの線のように見えるので、このような形で波面が出現し、垂直な方向が音の到来方向ということになるのですが、いろんな方向から音が到来している様子、あるいは左と右の壁を行ったり来たりする様子、そういうものが簡単に観察できることになります。

これを使ってインパルス応答を算出する方法ですが、受音球というある容積を持っている球を、マイクロフォンとして空間の中に置くことになります。そして、時々刻々この受音球の中に入る粒子の数をカウントします（図6左参照）。最初は音粒子が入ってこない状態ですが、受音球に音が到来したときに、受音球の中にある程度音粒子が入ることになります。あとは受音球の中にある音粒子の数とそれらが持っているエネルギーの総和を計算すると、受音球における音圧に相当するもの、すなわち音のエネルギーを計算することができます。その方法で計算してインパルス応答を求めることができます(図6右参照)。

では、実際の屋外のシミュレーションについて説明したいと思います。今回、神戸大学付近の六甲道駅近辺のシミュレーション結果をお見せします。都市化されている区域に関してはある程度データが揃っていて、市販の3Dモデルを導入することができます。この3Dモデルは地形の傾斜がしっかり

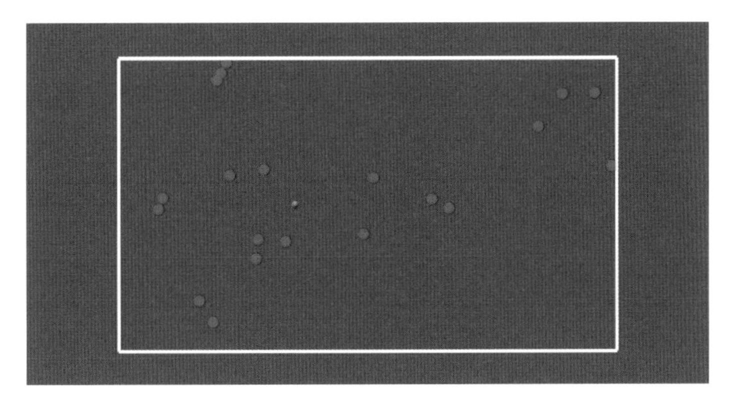

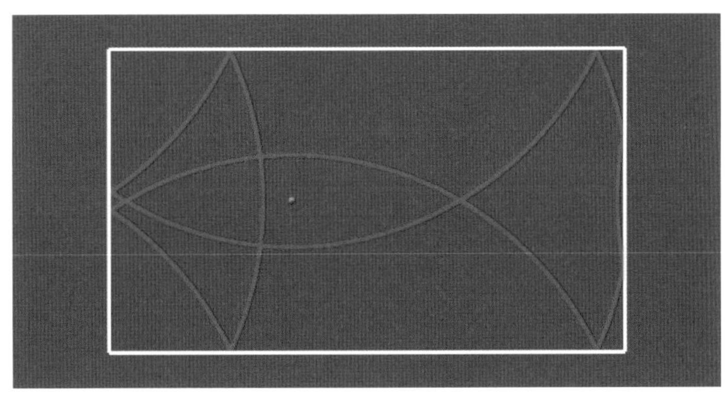

図5　音線法のシミュレーションの様子（上：粒子数20個 / 下：粒子数5万個）

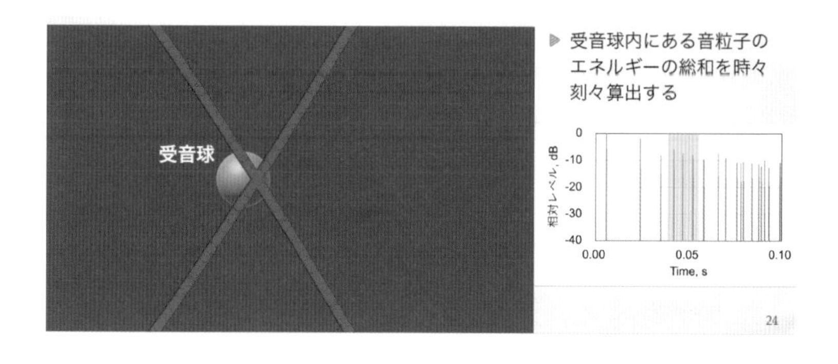

図6　受音球を通過する音粒子（左）と算出されたインパルス応答（右）

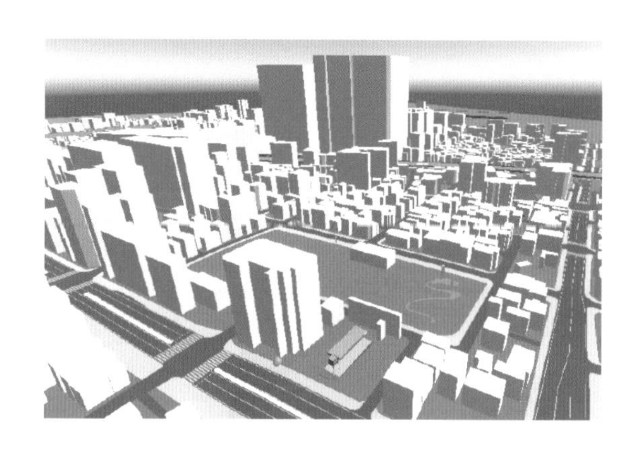

図7　シミュレーションの対象である六甲道駅近辺をUnity上に再現した様子

再現されていて、道路/公園/水などが区別されています。今回はゼンリンさんが販売している3D地図データを用いてシミュレーションを行いました。

シミュレーションの対象である六甲道駅近辺をUnity上に再現した様子を図7に示します。この中央の公園内に実際に子局スピーカが設置されていますが、Unity内の公園にもポールを立て、この先端に360度等しい方向に音が広がる点音源を配置しています。実際に設置されているスピーカは指向性音源ですが、シミュレーションでは無指向性音源としています。ここは公園なのですが、中高層の建物で公園が囲まれています。このため、音が広がりにくく、残響というのが生じやすい状態となっており、これがここをシミュレーションの場所として選んだ理由です。

計算条件ですが、音源は音が球状に広まっていく全指向性としています。シミュレーションプログラム的には、指向性音源もシミュレート可能なのですが、今回は全指向性としています。音の粒子の数は3000万個です。音粒子の動きですが、3000万個だと、シミュレーションでの動きはなめらかにはなりません。シミュレーションの後で、1コマずつの静止画をつなげるような方法で動画を作成すると、なめらかな動画を作ることができます。音源は地表面からの高さ15mにしています。受音球は直径3mとかなり大きめに設定しており、1つの建物くらいの大きさになってしまうのですが、それぐらいにしておかないと、都市スケールでの音の広がりを求めることはできません。今回はこれを150個×150個、地表面に接した状態で碁盤の目になるように設置しています。そうすることによって450m×450mのエリアのU50を計算できるようにしています。解析対象はその450m×450mの範囲です（図8参照）。

音響伝搬の取り扱いですが、建物や地表面といった境界面は、それぞれ異なる物理特性を持っているので、いろいろなタイプを準備すべきですが、オ

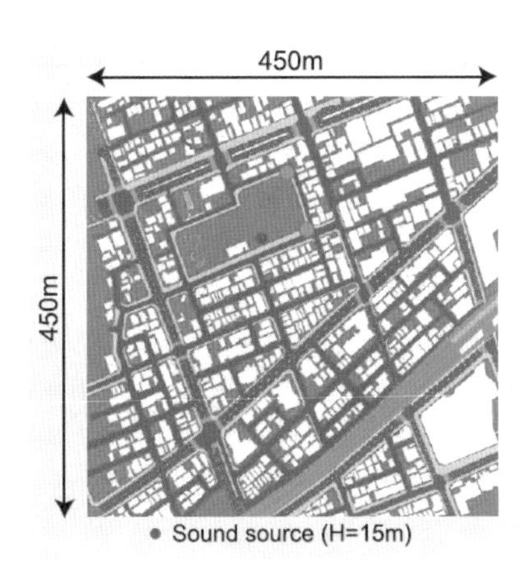

図8　解析対象範囲

ブジェクトの数が多くて1個1個設定するのは大変なので、このシミュレーションでは何かしら境界面があったら吸音率0.05、乱反射率で0.1となるようにしています。音粒子の追加なしで乱反射率を設定した時に、反射した音粒子を1個から5個に分裂させるような処理をすることもあるのですが、ここではその処理を行っていません。また音源再生開始から1.2秒までの計算としています。

U50については、音源から出ている音の強さと受音点の周りの暗騒音のレベルを仮定しないと計算できないのですが、ここでは一般的な値にしています。わりと騒がしい場所の音圧レベルとされている60デシベルという値を入れています。

ここで、シミュレーション結果を説明させていただきます。図8の上側の青丸の場所から音源方向を見るカメラアングルでシミュレーションを行った際の音粒子の動きですが、周りに建物が何もない状態と建物がある状態のシミュレーションの結果が図9となります。

まず、周りに建物がない場合です。音源からの音が1回地面で反射するだけという感じになります。そこから大きく広がって、直接音が到達します。地表面にある程度の乱反射率を設定しているので、音粒子が結構舞っていますけれども、それもしばらくしたらなくなり、あとは音のエネルギーは地表面上にはほとんど存在しなくなります。次に建物がある場合の様子です。最初に音が広がったあとに、四方八方から反射音がたくさん出てくることになります。しばらく経っても公園内にたくさん音のエネルギーが残っていることが一目でわかります。中高層の建物に囲まれていますので、しばらく反射が行ったり来たりしています。この教室ぐらいの部屋で反射音が往来すると反射と反射の密度はけっこう高いのですが、都市スケールになってくるとそれが少し疎になるので、音の響きという感じではかなり長く感じるようなことになります。

このようなシミュレーションを行い、図8の上側下側の2つの青丸の位置に受音球を置いた場合に求められたインパルス応答の図が図10になります。

インパルス応答を見ると、当然最初に強い直接音が来るのですけれども、

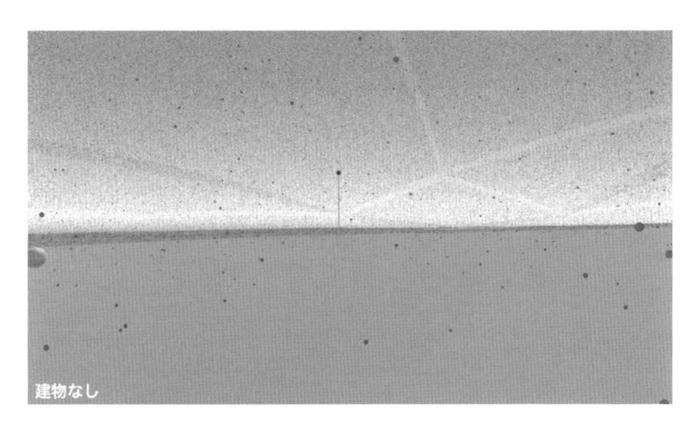

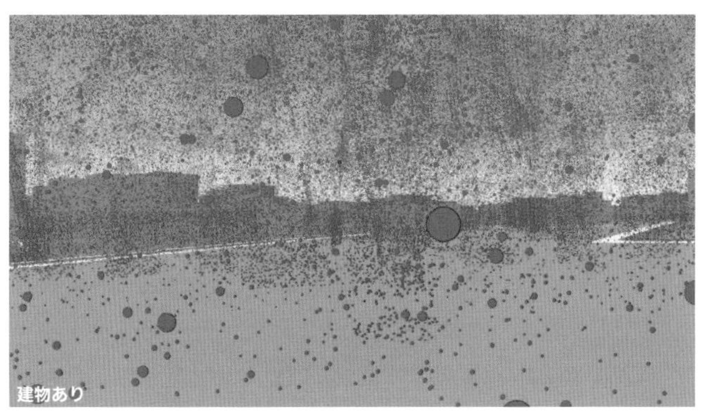

図9　音粒子の動きのシミュレーション結果（上：建物なし／下：建物あり）

その後に散発的に強い反射が到達するという結果になりました。その後の部分が残響を生み出しているということになります。

このように、いろいろな場所でインパルス応答を求め、それを元にU50を計算すると、最初の聞き取りやすさを可視化したマップ（図1右参照）となります。この図を見ながら考察を行います。まず公園の中ですが、音源の近傍はやはりU50が高くて黄色の色になっています。公園の端でもU50としては±0以上ぐらいにはなっていますが、スピーカが見えている場所にも関わらず、それほどU50の値は大きくないことになります。これは、やはり周囲の中層高層建築物からの反射の影響であると考えられます。実際の放

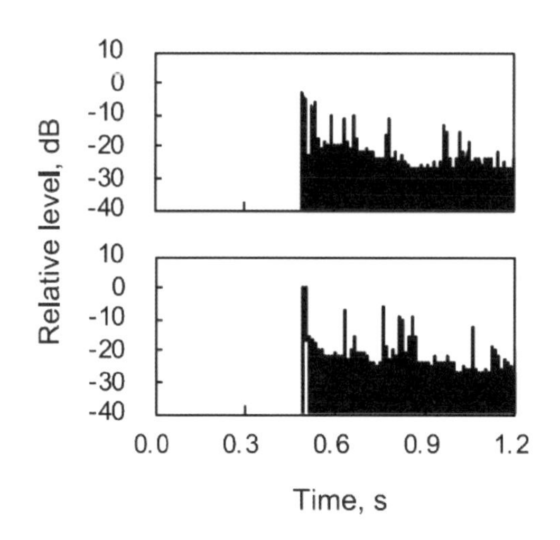

図10　求められたインパルス応答
（上：図8上の青球の位置に受音球を置いた場合 / 下：図8下の青球の位置に受音球を置いた場合）

送音を聴取すると、やはりある程度のエコーが感じられました。ちょうどインパルス応答をお見せしている場所で撮ってきた音があるので、これを再生してみたいと思います。去年と今年録った音がありますが、これを再生します。「（音声）防災行政無線のテスト放送を行います。」少し割れている音に聞こえるかもしれませんけど、響きを意識して聞いてください。これが去年録った音で、これが今年の音です。「（音声）防災行政無線のテスト放送を行います。」神戸市の方に言ったら、気を利かせて男女変えてくださって、今年は男性の声でやってもらったのですけども、やはり音としてはちゃんと聞き取れます。確かに聞き取れるのですけれども、少し響いて聞こるということはわかっていただけたと思います。

続いて2つ目の考察です。音が遠くまで伝わっていく経路を確認すると、やはり音が道路を伝わって遠くまで届く様子が見て取れます。これは幾何音響シミュレーションが回折を考慮しておらず、建物の裏に音が回り込むという現状を再現できないからでもあるのですが、やはり道路が音の通り道になって伝わっていくという様子をある程度確認することができます。特に見通しのよい道路では遠方まで明瞭性が確保されることをこのマップから読み取ることが可能です。それでは、実際にUnity上でシミュレーションを走らせてどんな状況であるかということをリアルタイムでお見せします。これはチャレンジングなことですが。

まず、解析対象範囲で建物がたくさん並んでいる中でシミュレーションが行われている状態です。この状態で、リアルタイムでズームしたり視点を動かしたりすることが可能です。そして、ここが対象となる公園で、この真ん中くらいに音源があります。Unityなので、いろいろなところにカメラを配置して、そこからの画像を動画にすることができます。

また、音源からの音が、道路を通して伝わる様子もわかります。ここで少しシミュレーションを実際に走らせたいと思います。動かすと、やはり道路のところを通して音が伝わっていく様子が確認できます。少し道路と平行ではない音の成分が反射してしまって、いろんな方向に散っていってしまいますが、道路に平行な成分はどこにもぶつからず伝わっていきどんどん遠くまで届くということがわかります。

このように、Unityを用いると幾何音響シミュレーションを簡単に再現することが可能で、さらにいろんなところに観察のためのカメラを置くこともできます。また、シミュレーションしながら視点や視線方向を変え、音が反射していく様子を確認することができます。このように、音場の観察の自由度が非常に高いツールですが、これらの機能は普通の市販の幾何音響シミュレーションソフトにはあまり実装されていません。

本日の講演も終わりに近くなってきましたが、1つ言えることがあるとすれば、都市街区において、道路を音の伝搬経路として有効利用し、明瞭性の高い屋外拡声システムに活用することの可能性です。屋外拡声システムの確定方法の1つとして、遠心拡声という方法があります。これは、あるポイントからスタートして、そこから順次伝搬していくように拡声システムを配置していくものです。例えば指向性スピーカを活用するやり方です。前方には音がたくさん伝わるけれども後ろの方には伝わらないスピーカがあったとしたら、それを道路沿いにたくさん並べて、ある子局から出した音の次に出した音が、次のスピーカに到達したときにまた音を出すという風に、順次リレー方式で音を出していけば、あまり響かない音で遠くまでも伝えられるのではないか、いうようなことを考えています。まとめになるのですけども、屋外拡声システムの明瞭性の面的評価に関して、市販の3Dモデルで音線法について検討を行いました。そして、アウトプットとしてU50という物理指標を基にしたカラーマップというのを紹介しました。今後の課題になるのですけれども、実態とどの程度合致しているか、これを確認しないとシミュレーションだけになってしまいます。この確認作業が今後の課題です。産学官連携の研究も少し関わっていますので、これを少しだけ紹介したいと思います。

まずは測定方法で、やはり屋外ということで測定しようとすると大変なので、何か簡単な方法で測定できる方法はないかと考えています。その方法の1つとして、スマートフォンを使った測定システムを考えています。スマートフォンはセンサーの塊なので、マイクも当然入っているのですが、このマイクを使って、同時に位置情報を入手したり、あるいはその場で心理評価をしたりとか、その場所の写真を撮影することも可能です。そういったものをサーバーにアップロードして、どんどん蓄積していくようなシステムを考えて、学生と、ちょっとテスト放送を録りにいこう、というような感じで測定等を行っています。具体的なユーザーインターフェースとしては、最初に録音して、その場で放送の聞き取りにくさを評価させ、どんな理由で聞き取りにくいと感じたかなどの情報も入力させ、情報を蓄積していくことになります。先ほどお聞かせした録音も、実はこのシステムを活用して録ったものだったのですけれども、放送局や親局の方で入力した元音源があれば、元音源と録音した音源を比較することによって、インパルス応答に近いものを計算することができます。そうするとスマートフォンで録音した音源からインパルス応答というものを算出してその場のU50を求められるのではないか、などということも今後の課題として考えています。

もう1つは、長期間の定点測定を想定したシステムです。これは、全天候型のボックスの中に、いわゆるRaspberry_Piという小型のコンピューターといろいろなセンサーやマイクロフォン入れて接続し、さらにそれを太陽光パネルで動かしてスタンドアローンで動かすものです。そういう測定器を開発し、いろんなところに配置して測定したらいいのではないか、ということを考えていました。これは、あるスピーカメーカーさんと地方自治体の協力を得て、実際には太陽光パネルではなく常時電源に接続する形で、実際に取り付けられことになっています。これを用いて測定し、気象の影響などを加味して推測できるようにすることを考えています。これはしばらく時間がかかりそうですけれども、産学官連携のプロジェクトでできているということで、自分の中では面白いかなと思っております。では話としては以上です。どうもありがとうございました。

8

物理則に基づく散乱光計算による大気・雲・水等の自然現象のCGシミュレーション

講演者：西田友是先生

東京大学 名誉教授

広島修道大学 名誉教授

プロメテックCGリサーチ 所長

デジタルハリウッド大学 卓越教授

主催

神戸大学大学院工学研究科グラフィクスリテラシー教育研究センター

共催

(公社)化学工学会SIS部会ダイナミックプロセス応用分科会

日本建築学会近畿支部光環境部会

(一社)照明学会関西支部

日本図学会関西支部

神戸大学V.School

ご紹介いただいた西田友是です。本日はよろしくお願いいたします。では、今日のテーマはなぜ散乱光計算か、ということから始めたいと思います。リアルなCGを作るということは、いかに物理法則に基づいているかというのが重要な要素です。私は50年以上研究してきたわけですが、その中で自然物の表示が1つの重要なテーマでした。1998年頃に書いた論文が散乱光に関するものでしたが、それを読まれた方が商業用ソフトに採用してくださいまして、それがなんとYouTubeで100近いほど出回っていて、驚くほど世界中に普及しています。これが散乱光の論文でしたので、今日はこの散乱光がいかにCGのリアリティさに影響するかを話として選びました。だいたい光というのは反射とか屈折を主に考えますが、今日の話題は散乱や吸収に焦点を当てたいと思います。その結果、空の色とか海の色とか地球の色とか夕焼け、霞の効果、雲といったさまざまなところで効果を発揮します。

まずちょっと古い歴史から考えます。ダ・ヴィンチはモナリザを描いたことで有名ですが、医学や天文学や流体などさまざまな分野で優れておられました。ということで、昔は芸術と科学は一体でした。それが科学と芸術が分かれて今に至ったのですが、CGが現れたおかげでCGの技術を使って芸術を表現するとか、今の自然界の物理則を可視化するとかいったようなことで、CGが1つの救世主となったわけです。アインシュタイン博士はノーベル賞も授与されていますが、彼はバイオリンを弾くのでも有名でした。だから物理学者にならなかったら音楽家になっただろうと言われていました。それでもう1人出てくるのがアラン・ケイで、IT分野で最も有名なチューリング賞の受賞者の1人ですが、アラン・ケイはパソコンの父と言われています。今のiPadやノートパソコンは、彼がいなかったら現れなかったと言われているほどの人ですが、彼も実はジャズギタリストだったのです。ちょっと余計なことですが、音楽活動とIT系の研究は関係あるのかなという話です。それで、このようにCGが媒体になって科学技術をベースにした芸術表現が可能となったわけです。さらにCG産業はどうなのかということをちょっと考えてみました。CGプロダクション年鑑2020という雑誌には、CGプロダクションは296社と書いてあります。さらにBaseconnect（https://

baseconnect.in/）というサイトから調べると、CG制作会社が1287、画像処理会社が591、ゲーム開発会社が750、ヴァーチャルリアリティアプリ開発会社が133、人工知能開発会社が318という数で、いかにCGが発達してきたかということがよくわかります。クリエイターと言われている職業も現れましたが、CGに関するさまざまな職業も生まれました。実際、私が始めた頃は、絵を描いて遊ぶなと言われたり、当時CADもなかったですが製図の自動化により製図を行う職人の仕事が奪われると言われたり、CGに対して非常に強い抵抗があったわけです。それが今や、そういう職業なり会社がこんなに繁栄している時代となりました。

CGの応用としては、もちろん映画とかゲームとかCADがあります。CGの研究というのは2つ大きな目標がありまして、1つは写実性の追求で、もう1つはインタラクティブ性です。それをさらに細かく分けると、形状表現や材質や可視化、動きの表現といったような研究要素があります。3次元コンピュータグラフィクスでは、形を作るモデリング、座標変換、隠面消去、シェーディング、ディスプレイの表示というパイプライン的な処理を行います（図1参照）。

例えば、物体、カメラの位置、光源の位置を入れると、図1右下のような映り込みまで考慮したきれいな絵ができるわけです。今日の話はこの光源の

図1　CGにおけるパイプライン処理

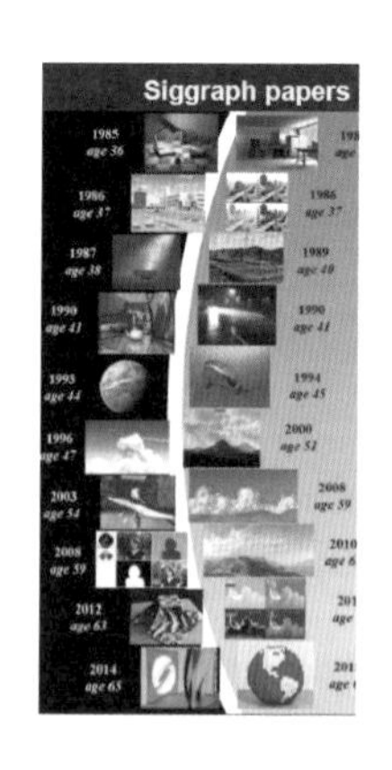

図2　SIGGRAPHで発表した歴代の代表画像

光の効果をどのように扱うかという話題です。

本題に入る前に、私の研究がどんなものかということを話しておきますと、SIGGRAPHという学会がありまして、そこで私が発表した歴代の代表画像が図2になります。1985年から始まって、このとき36歳ですが、その後現在に至るまで、ずっと学会で発表し続けています。図2のような画像を作るのはどうしたらいいか、という論文を発表してきたわけですが、今日はそのうちの一部をお話します。もう少し詳しく言うと、1963年がCGの元年と言われています。サザーランドという人がMITで始めたのがCGのはじめだと言われています。私は1970年から研究を始めて、当時は学部生ですが、以来52年にわたって研究しています。私がSIGGRAPHで初めて発表したのは1985年ですが、それまでは学会誌に採用されたりしていました。最初は何もない時代ですから、ラインプリンターの重ね印字やX-Yプロッターに描かせるなど、カラーモニターすらない時代に始めたわけです。結局50年以上やりまして、1994年から東大に招聘されて、7～8年前の定年まで東大で研究しておりました。研究分野としては、図3に示すように、照明効果と形状処理・レンダリング、自然現象、インタラクティブ表示、非写実表現などの分野です。

今日の話は、図3の右上の分野と左上の分野の一部に関わる白線で囲まれた部分が中心で、散乱光を計算すると自然界のものが表現できる、ということに絞ってお話させていただきます。

図3　研究分野

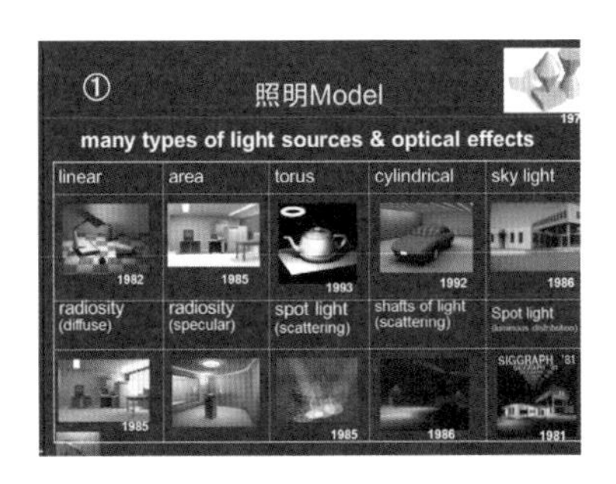

図4　照明モデルに関連するこれまでの研究

図5　自然現象に関連するこれまでの研究

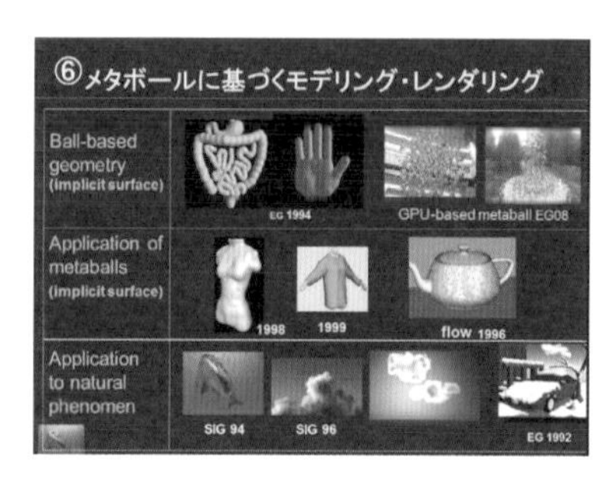

図6　メタボールに関連するこれまでの研究

図7　レンズ・カメラのシミュレーションの例

図8　絵画風表示の研究の例

図9　陰影モデルに関する研究テーマ

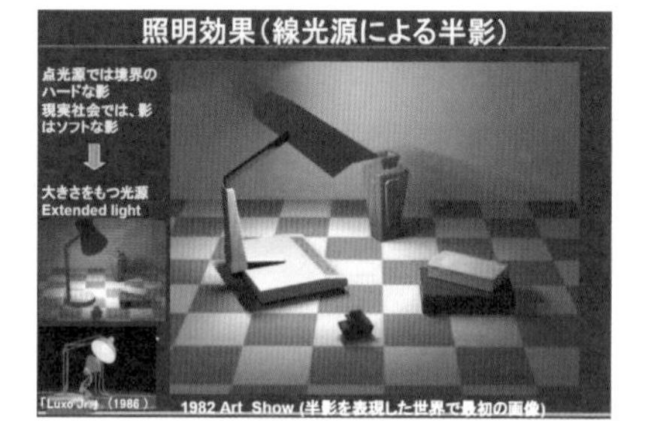

図10　線光源による半影を伴う表現の例

参考までにこれまでどんなことをやったかというと、まずは照明モデルですが、線光源や面光源、天空光など、様々な光源で照らされた物体の表現（図4参照）や、環境光源によってどのように見えるかなどです。

自然現象に関しては、空や地球の表現方法から雲・煙そして流体シミュレーションを用いたもの（図5参照)、さらにメタボールと言われているボールを組み合わせていろいろな形を作るもの（図6参照)。そして粒子系の表現など、非常に多くの研究を行ってきました。

あとは環境予測、人体、レンズのシミュレーションなどにも取り組みました。例えばレンズの上の方と下の方で焦点が違ったレンズは年を取った方には普通ですが、そういったものを実際シミュレーションするとか、カメラで撮った写真のピンボケを取ったり、ピンボケする場所を動かすこともできます（図7参照)。またカメラに特殊なフィルターを入れるだけで、背景と人間を髪の毛の細かいところまで分離できて、最終的に全然違う背景を埋め込むこともできます（図7参照)。こういった技術の開発や、絵画風な表現などの研究（図8参照）にも携わってきました。

陰影モデルに関する研究テーマを整理したものを図9に示します。特にこの照明の部分が重要なのですが、陰影モデルと言われているものは、光源と照明と影と材質と大気効果が重要です。この黄色で書いたところは、ほとんど私がパイオニアとして論文を発表しております。今日は、その中でも大気効果、Scatteringと書いてありますが、この部分に絞ってお話をさせていただきます。

その前に、代表的な研究として、線光源による半影を伴う表現の研究を紹介します。図10のように、シーン内に円柱状の光源が存在する場合ですが、そうすると影がぼやけて見え、半影が出現します。それまでのCGはくっきりした影しか表現できませんでしたが、こういう半影を伴った影もできるようになるという手法を最初に提案した論文です。

次に相互反射の研究です。Radiosityと言われますが、これは日本の照明学会で発表して、翌年にSIGGRAPHで発表したのですが、図11が世界初のRadiosity法の論文と計算結果の比較の図で、図11右が直射光のみの場合で、図11中が壁からなどの相互反射光まで考慮した場合です。

図11のCG表現の図の下に、何ルクスかわかるような疑似カラーの図もありますが、このように光の相互反射まで考慮した絵も描けるのですよ、ということは私が世界初で提案・発表したものです。図12に、様々な照明モデルに対応した研究成果のフローを示していますが、以前はくっきりした影しか表現できなかったのが、半影を伴う絵ができたり、空全体を光源とみなしたり、今説明した相互反射まで考慮可能な計算手法を発表したりしました。この相互反射まで考慮した考え方をグローバルイルミネーションと言います。

簡単に私の過去の仕事をお話しましたが、ここから今日の話題のお話をします。まず、大気散乱ということですが、SIGGRAPHにシアター部門というのがあり、アニメーションを提出しようとして、光の筋を計算しようとしたのがきっかけで、これは1985年のことです。次に、当時広島大学で研究していたのですが、ここは盆地で夜になると灯台の光が見えていました。光の跡を光跡といいますが、それを表示する方法を発表したのが1986年です。Blinnという人が土星の輪っかの表現をやりまして、これをきっかけに粒子状のものに光を当てたらどうなのかということに興味を持ちました。特に、空はなぜ青いかということが子供の百科事典に書いてあったのですね。太陽の光が届くまでの距離の関係で空は青いという文書を見つけて、それで図書館に行きレイリー散乱などいろいろ勉強しました。それでこれをCG界に持

図11　Radiosity法の論文と計算結果の図
（右は直接光のみの場合で、中が相互反射光を考慮した場合）

図12　照明モデルに対応した研究成果

ち込んだわけですが、これが1993年です。地球は青かった、という言葉がありますが、地球の色を計算する方法を発表しました。1985年から始まって、いくつかの研究を発表した次第です。特にCGでは反射モデルを重要視しますが、Kajiyaという人が1986年、次の式を発表しました。

Lout (θ r , φ r)= ∫ f (θ in , φ in , θ out , φ out) Lin (θ in , φ in)cos θ in d ω in

実はこれは私と同じセッションで発表されたものです。これをRendering Equationといいます。このfが反射分布で、Linが入射光で、これにコサインをかけて、すべての角度に対して積分すると反射光が計算できるというものです。物理の世界で当たり前の式ですが、これをきちんとCGの世界で使えるようにして、Rendering Equationと称して発表されました。光が境界面に入ってくると、さまざまな方向に飛び散りますが、これをBRDF（Bidirectional Reflectance Distribution Function）と言います。反射以外に透過して屈折して、ということで、実はそれまでは反射と屈折ぐらいしか考慮されていませんでした。そこで、次に出てくる散乱という概念が自然界のものに影響するのだということで、ここからが私の論文の関係ですが、といってもまず霞の効果というのは従来からある程度わかっていました。光の散乱・吸収の簡易モデルについて図13を参照ください。ある点に光があって、光が減衰して人間の目に入りますが、そうすると光学的距離が出てきたり、図13で表せるような式で、これはエクスポネンシャルの式ですから、無限遠点にこのIPという色があって、これが減衰しますよというのと、反面、

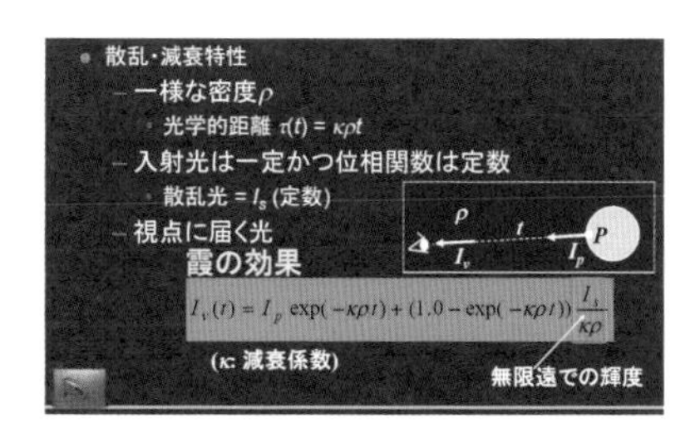

図13　光の散乱・吸収の簡易モデル

図14　大気散乱を考慮した景観予測の例

これは空気の無限遠の色ということは、野外では結局空の色なのです。遠くの空の色が減衰して見えているることになります。視点に届く光は、IP と空の散乱光であるIsに重みをかけて合成したものとなります。こういう効果をきちんとCGの世界でも適用しようと考えたわけです。図14が大気散乱を考慮した景観予測の例で、この図の真ん中が、30年前の広島の平和大通りというところです。そこにホテルが建てられました。ホテルが建ったらこんなふうに見えますよということですが、これはふつうのモンタージュ写真ですね。ところが、先ほどの式に、実際の実験値で得られた係数を代入すると、雨が降ったらこんなふうに見えて、晴れたらこんなふうにというので、写真と単に合成するだけではなくて、光の散乱吸収まで考慮してこんなふうに見えるのですよという予測をすることができます。この成果は1986年のSIGGRAPHで発表しました。

他にも、図5で紹介したようないろいろな自然物の研究を行いました。代表的なものが、先ほども説明しましたが、いわゆるスポットライトを浴びた人のような鉛筆が踊っているアニメーションです（図15左参照)。こういう映像を作りたかったので、光の筋を描こうとしました。このアニメーションはSIGGRAPHのElectric Theaterに採択されました。さらに煙のようなものに光を当てて、煙の影まで求めるイメージ（図15右の右中段参照）も計算で求めており、これは学会誌の裏表紙に掲載されました。この頃から光の

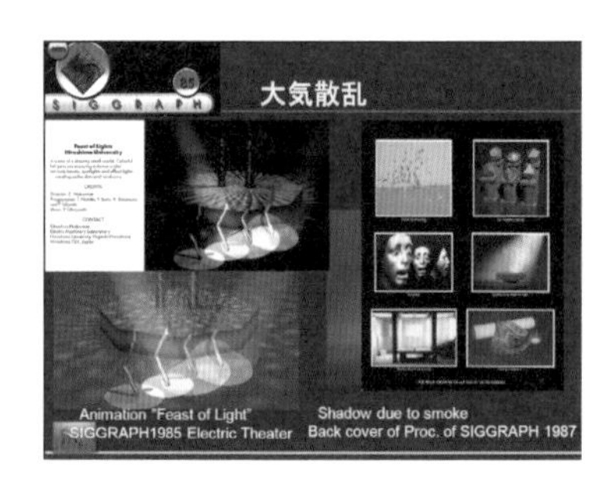

図15　スポットライトを浴びた鉛筆が躍るアニメーション（左）と光が当たる煙（右の6つの図のうちの右中段）

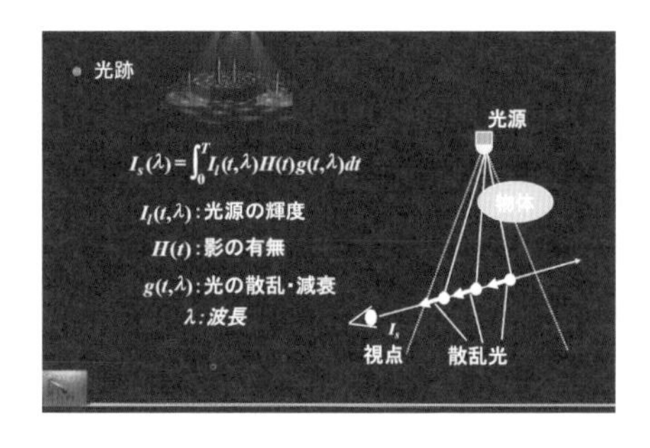

図16　散乱光による光跡モデル

散乱の重要性を訴えていたわけです。

先ほどの光の筋は、図16に示すように、視線上にいくつかのサンプル点があって、このサンプル点での光の散乱光をずっと積分するわけです。この図の式で表現できるのですが、この積分をすると光の筋が表現できるという論文を書きました。

さらに、光の散乱についてよく考えると、レイリー散乱とミー散乱がありますが、光が入ってくると散乱の分布が重要となります。粒子が小さい場合にはレイリー散乱、大きい場合にはミー散乱となり、これをどう考慮するかですが、図17に示すPhase Functionが関係してきます。

小さな粒子に光を当てると、眉型の形のような対称な散乱（レイリー散乱）となります。波長の4乗に反比例しますが、空の色が青いのはこのためです。ところが、もう少し粒子が大きくなると、散乱光は方向性、指向性を持つようになります。しかもこれは波長に依存しません。これがミー散乱と言われているものです。実は今から100年前にレイリー散乱とミー散乱というものがあることは物理の本に載っていました。それをヒントに私はCGの世界で実際に空の色を計算したり雲の色を計算することに応用したわけです。特に雲や雪の場合は、多重散乱というのがありますので、それらを考える必要があります。また、光源も太陽光だけではなくて、人工光などいろいろ考

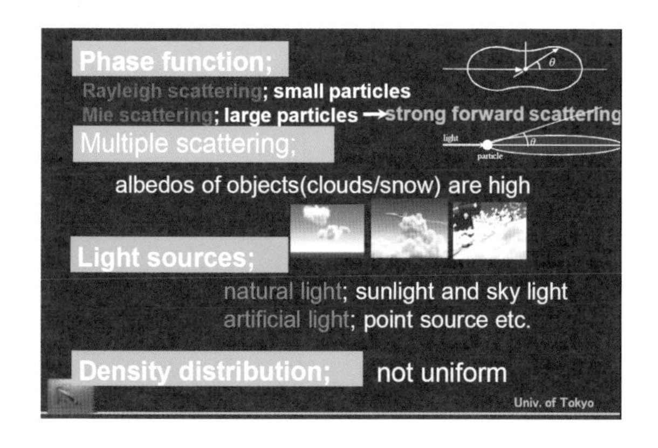

図17　光散乱の要素

えなければなりませんし、空気の分布も一様ではありません。ということで、そのような分布や光源などをいろいろ考えながら計算する必要があるということになります。

歴史的なことを考えるために、大気散乱計算の研究の経緯について図18に示します。私とほぼ同時期にネルソン・マックスが木の隙間からの光の筋の計算法について発表しました。実は私と同じセッションで発表していました。その翌年私が光跡を描く方法をSIGGRAPHで発表して、というように次々といろいろな方法が発表されました。これらが図18でTime-Consumingとされているのは、この頃は大変時間がかかったからです。その後これらの計算をGPUでハードウェア化して速くする研究がいくつか発表されました。例えばこの図18右下の例もハードウェアを使っているのですが、光源とティーポットがあるとティーポットの影ができますが、こういった効果の表現法などがずっと検討されてきました。

光散乱の計算については、3つに分類することができるのですが、まず1つは大気中の粒子をどのように扱うかということで、いくつかの論文を図19に示しています。実は大半が私の論文で、光のビームをどうするかとか、煙をどうするか、空の色をどうするかなどで、歴史的にはさまざまな論文が発表されています。第2の分類は、水の中でどうなるか、というもの（図20上参照）で、水の色の計算手法がテーマとなります。

例えば、図20右の上から2番目は地球の映像ですが、実は海が見えてい

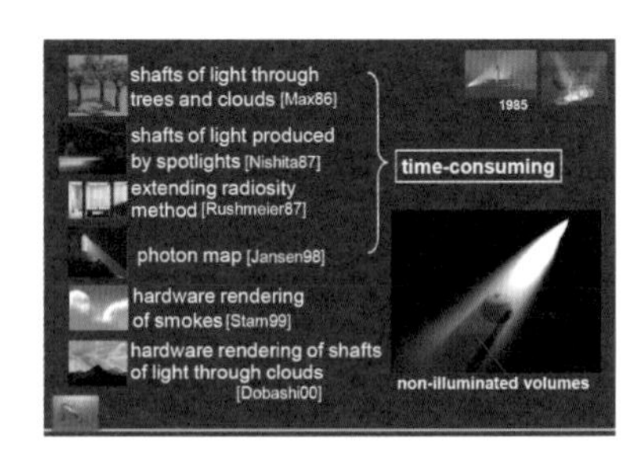

図18　大気散乱計算の研究の経緯

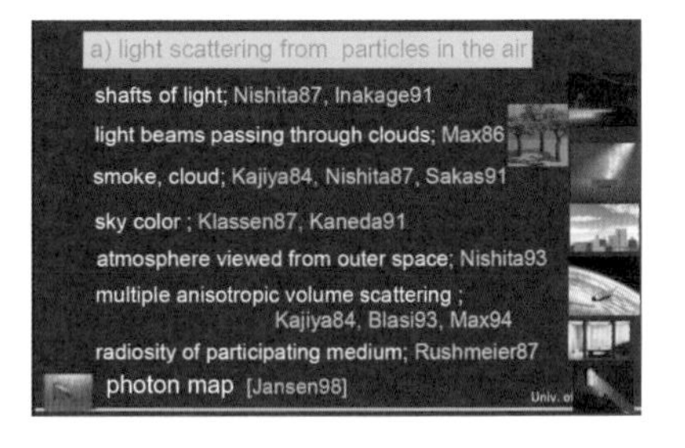

図19　光散乱の計算の分類1
（大気中の粒子の扱い）

ます。海の色を決める方法が課題となりました。また、その1つ下は海の中の光の筋が見えています。それだけではなくて、泳いでいるのはイルカではなくて実はシャチなのですが、シャチの背中にもパターンがあります。このパターンはどうやって計算するかといった問題も出ます。

3番目の分類としては、大気でもなく水でもなく物体の取り扱い（図20下参照）で、その代表的なものが土星の輪っかです。ここは氷の粒子や破片がたくさん存在していて、それを半透明のようにして描くわけです。それをどのように描くかということをBlinnさんは1982年に発表ました。これがきっかけになって、我々もいろいろ発展させたわけです。

図20　光散乱の計算の分類2と3
（水の中の扱いと物体の粒子の扱い）

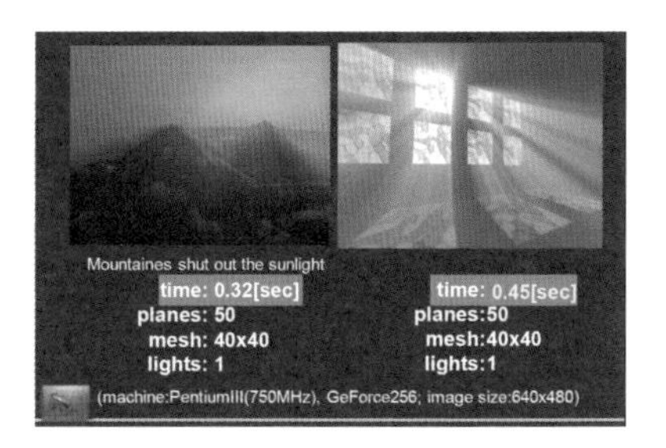

図21　Shafts of Lightの表現

Material	Particles	Scattering
Sky (sky color, skylight)	air molecules aerosols	Reyleigh Mie
Clouds	water vapor, icicle	Mie
Smoke / gas	water vapor, dust	Mie
Water / liquid (color of water, shaft of light, caustic)	water molecules	Reyleigh
Fog / haze	water particles	Mie
Atmosphere (shaft of light, volume light)	water vapor	Mie
Snow	snow flakes	Mie
Dunes	sand particles	Mie
Saturn's ring	icicle	Mie

表1　粒子に関する自然現象と散乱の種類

先ほど説明したようにレイリー散乱とミー散乱と2種類ありますが、空の粒子や雲の粒子など様々な粒子があった場合、その粒子に関する散乱はどちらに属するかということを一覧表としたのが表1です。

続いて、Shaft of lightと言われている、窓からの光の筋が見えるものです（図21参照）。これは水蒸気や埃に光が当たってこういう筋が出現するのですが、これは特にハードウェアを使って、なるべく速く0.32秒で1枚の絵を描くぞという意味で書いてあるのですが、光の筋をいかに効率よく描くかという論文をいくつか書いたわけです。

さらに発展させて、空の色はどのように決めるのかという話です。空の色はレイリー散乱で決まります。光学的距離を考えながら、同時に空気は場所によって密度が違うので、それを表す指数関数的な式を用い、どんな色になるかということが決まってきます。先ほども言いましたが、空はなぜ青いかということを子供の本で見つけてさらに発展させて、これを論文で投稿したら、SIGGRAPHの学会で本物かどうかわかりもしないのになどと言われました。それで、毛利さんが日本初の宇宙飛行からちょうど日本に戻って来られた時だったので、毛利さんにお会いして、実際にスペースシャトルから撮ったらこんな絵になるという写真を頂き、これを付けたらこの論文は合格したわけです（図22参照）。地球の周りが青くなったり、ちょっと赤くなったりするのは太陽と地球の角度次第ですが、その辺に住んでいる人には夕焼けとして見えるわけです。ということで、地球はどのような色に見えるかという論文を1998年に発表しました。その後さらに発展しまして、ノートパ

図22　大気の色の研究

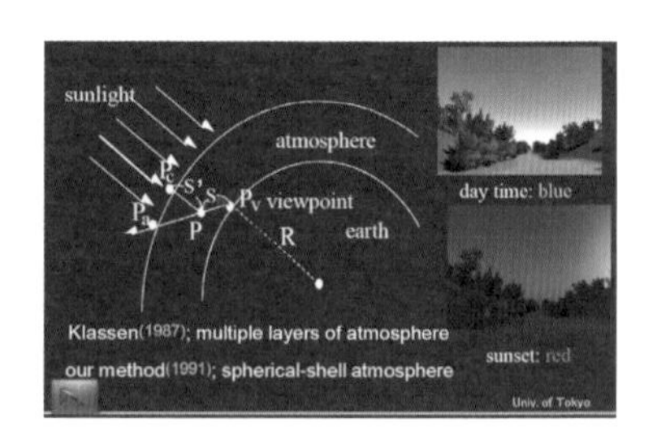

図23　空の色が青や赤に計算された例

ソコンで地球の映像ができるようになったので、その後15年経ってこんなに進歩しましたよということを報告するため、毛利さんがお台場で館長をしておられた博物館に挨拶に参りました。

では、空の色はどうなのか。先ほどは宇宙から見た光でしたが、今度は地上から見た空気の色はどうやって決めるのかという話です。図23に示した下の小さな丸が地球で人間がここにいまして、人間が見ている方向が図の左方向にのびる矢印であるとします。太陽からの光が降り注いでいますが、この太陽から来た光がある点を照らして、それがずっと地上にいる人間までたどりつくわけです。そのときの散乱がレイリー散乱ということで、波長の4乗に反比例、すなわち青い光がたくさん散乱されます。その青い光を見ているわけですが、夕方になると太陽が傾いてきて、太陽からの光が大気内を走る距離が延びます。そうすると青い光が散乱されて、ということは赤い光が生き残ります。ということで、空は赤く見えます、ということを実際にプログラム組んで発表したのが図23右です。

空には雲がありますが、雲の色はどのように計算するかという問題も次に現れました。雲の作り方はいろいろありますが、雲を作ったら雲の密度をメッシュ状にして記述します。雲は大きな粒子ですからミー散乱です。ミー散乱で照らされたものは白くなりますので、その色をどのように計算するかという問題が発生します。その方法は、図24のように人間側の視線に太陽から光が入りますが、この視線上のたくさんのサンプル点を設けて、この各サンプル点まで光が減衰して届きます。

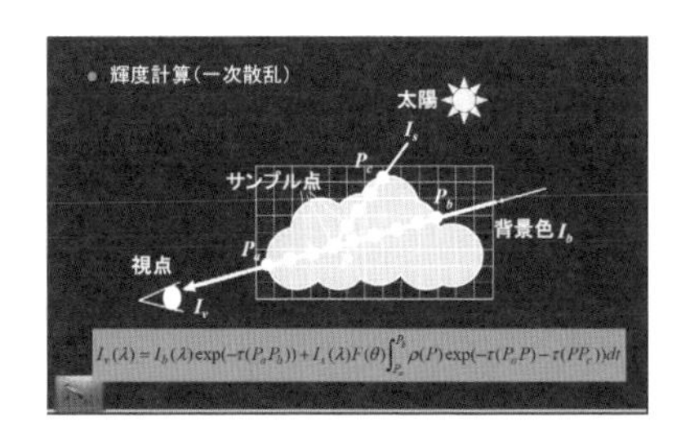

図24　雲・煙からの入射光

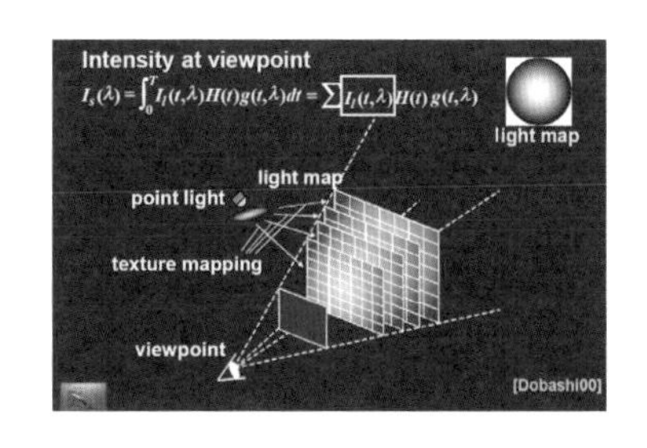

図25　ハードウェアを利用した散乱光計算

先ほど説明したようにミー散乱して、またここで散乱したものが人間の目に届くまでに減衰します。この関係は図24下側の式になります。こういった積分を伴う式を、1視線ごとに計算していくわけです。相当時間がかかりますけど、このような方法で雲の色を計算することをまず試みました。しかし、そのような方法で計算するとあまりにも時間かかります。先ほどの積分の部分は足し算に置き換えることができますので、ここでハードウェアを使って画像を足し算することとしました（図25参照）。1点1点の視線ではなくて、全部の方向を見た時のある距離での画像を作って、その画像を瞬時にハードウェアを使って足し算すれば積分したことになる、というテクニックを使いました。画像の足し算による光の散乱の計算の考え方は、今では多くのCGソフトに取り入れられています。

さらに考えなければならないのが多重散乱です。光が雲に入ると、いったん粒子に当たってそれがさらに別の粒子に当たって、何回かの散乱をくり返して初めて人間の目に届くわけです。図26をご覧ください。人間がPVのところにいます。そこから左方向に伸びているのが視線方向です。そうすると、太陽からの光は空気でまず減衰し、雲の粒子に当たって、また別の粒子に当たってまた当たってとなり、その後視線上で散乱した光を人間は見ていることになります。このような複雑な計算をします。太陽からの光だけでは

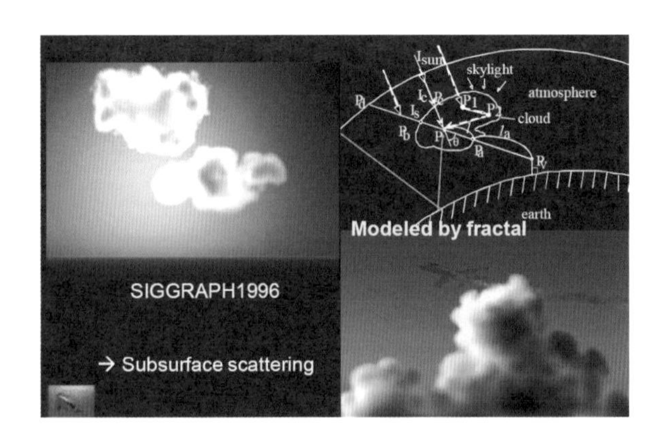

図26　雲の中の多重散乱の説明

なくて空全体の天空光や地上からの反射光も考慮しなければなりません。相当計算時間がかかりますが、それで表したのが図26の雲です。太陽の周りが少し明るくなっていますが、雲が厚いところは黒くなります。夕焼けになると、空の色そのものが赤くなりますので、この図の右下のようになります。このように、雲に入った光が多重散乱した結果を見ることができる、ということを1996年に発表しました。これはサブサーフェススキャタリングという概念でつながってきます。カリフォルニア大学の先生は、先ほどのサブサーフェススキャタリングという概念を使って、人間に光を当てて半透明に見える表現ができることを明らかにしました。従来の考えでは、光が当たると様々な方向に反射します。これが人間の皮膚だと、いったん入って、皮膚の中で多重散乱した結果が飛び出ます。そのことまで計算すると人間の肌がよりリアルになるという研究です。今どきのCGのリアルな表現はここまでやっているのですね。サブサーフェススキャタリングというのも多くのCGソフトに組み込まれています。だから人間の肌の感じが今では非常にリアルになっています。実際に細かい多重散乱を考えるのは大変ですが、双極子モデルというのがあり、これは多重散乱する層の内側と外側に光源があるものとして、それらから出た光がどのように届くかという簡易計算で多重散乱を計算するものです。これも要するに、散乱光をいかに計算するかで肌がリアルになりますよということです。図27は、雲の中の粒子に稲光が当たると周りが明るくなるとか、稲光の周りの粒子を照らしてこんな光景が計算できるということで、これも光の散乱光を計算するとこのようなものができます

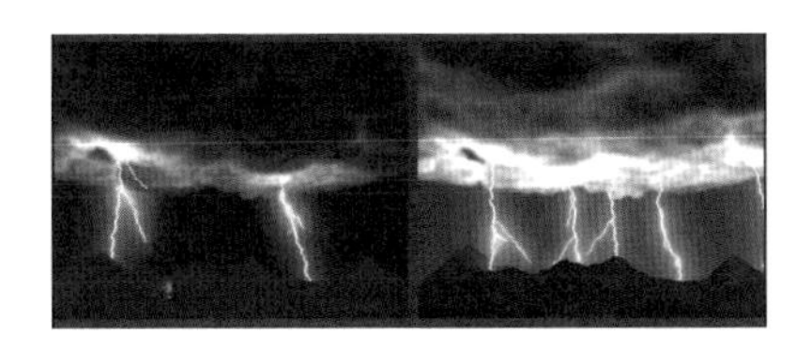

図27　稲妻の周囲の散乱光の表現

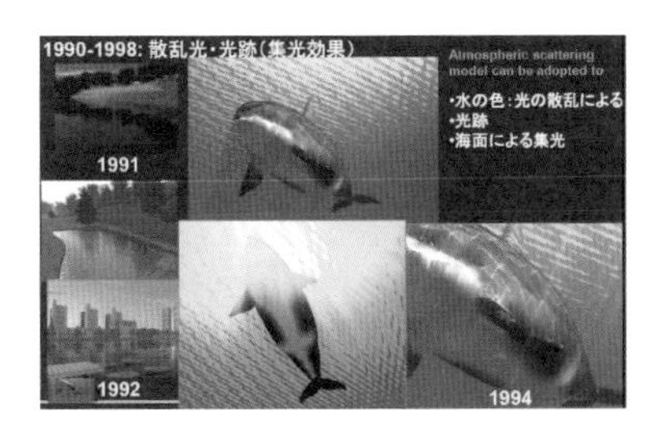

図28　水の表面・水中の工学的効果の表現

よ、という例です。

ここまで空や雲について説明しましたが、水の中も同じです。太陽の光が水面に届くと、屈折して入って地面に届いたり、あるいは視線上に当たります。これが散乱して、光が水中を通ってまた屈折して人間に見えることになります。この現象を式で表した人がすでにおられました。それを利用して水の色を計算したのが1991年頃です（図28参照）。だから黒い水が汚れているかどうかとか、周りの映り込みまで表現できたわけです。シャチには、波によって屈折することによる光の集光効果で光跡が現れます。このように光の筋まで計算できるようにした論文を1994年に発表した次第です。これも光の散乱をいかに表現するかという問題でした。

図29はまた我々の成果ですが、これは面光源で照らしているのですが、アンチエイリアスを考慮しています。実は従来の方法だと縞々が出たりするのですが、アンチエイリアスを考慮した上で効率よく描く方法を2007年に発表しました。

散乱や様々な光源を含む照明モデルについて図30にまとめました。光源が点光源か線光源か面光源かという問題がありますし、同じグローバルイルミネーションでも、ラジオシティとモンテカルロ法に分かれて、またライトスキャタリングが今日の主題の光の散乱ですが、散乱があるものとないものに分類しました。例えば、散乱はないけれど屋外での絵を作るとか作らないとかがあります。また、散乱はないけどリアルタイムで映像を描く方法です。このEnvironment Lightというのは環境光ですが、実はこの環境光を決める

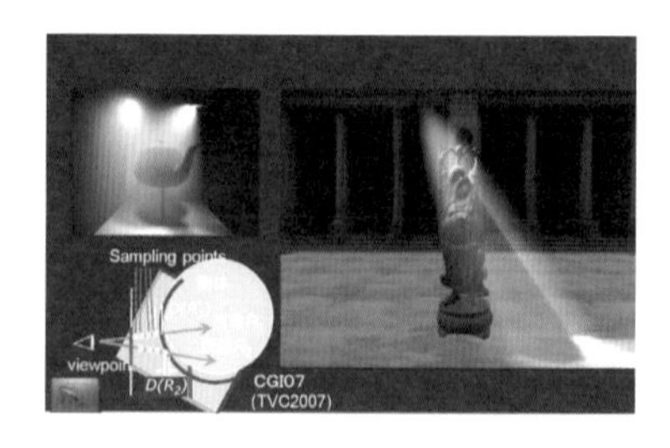

図29　アンチエイリアスを考慮した散乱光

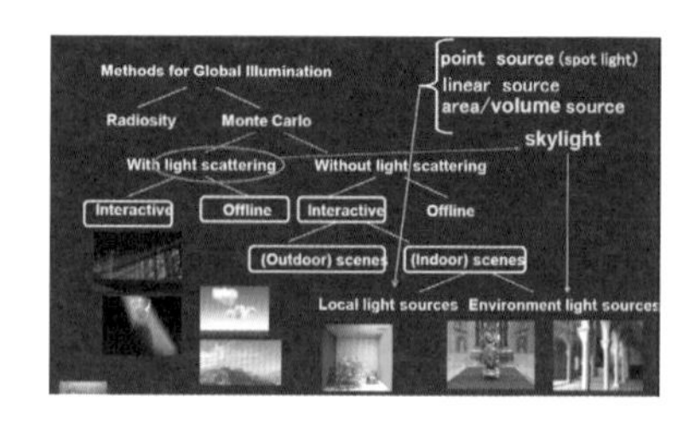

図30　散乱や様々な光源を含む照明モデル

ものが散乱光なのですね。光源は太陽しかないわけで、太陽の光源が空気に当たって空全体が光源になるわけです。この分類はそこまで考えています。

図31をご覧ください。太陽があって太陽からの光が部屋に届いています。それを直接見ている、あるいは室内に人工光源があってそれを直接見ているとすると、これは1次光です。さらに壁に何回か当たってから人間の目に届く相互反射光、間接光があります。

これをすべて統一的に扱うという論文を過去に試みたわけです。だから、太陽から出た光が雲に当たって雲の色を計算することもあるし、空の色も計算できるし、空や太陽の光が部屋の中に入ってきて、入るだけでなく壁に当たった後の光まで考慮するという、そういう総合的な画像を作ろうとしたわけです。 その計算例が図32です。夕焼けの空で照らした場合が左で、昼間の晴れた日で照らした場合が右です。サンプリングする間隔を密度によって

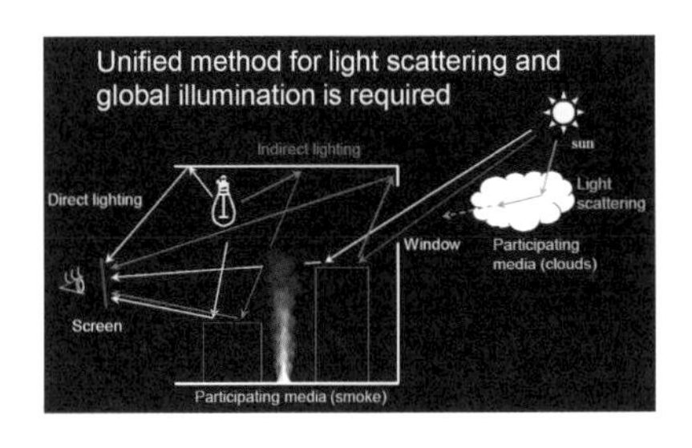

図31　散乱と相互反射を考慮した方法の概念図

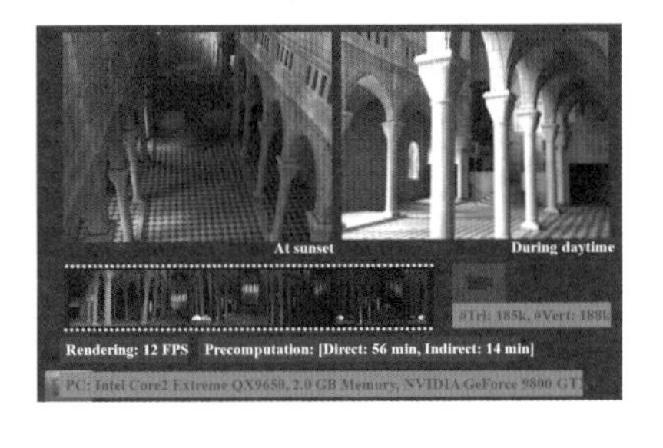

図32　統一的に考慮した計算の例

図33　大気散乱をシミュレートした図

図34　蒸気をシミュレートした図

上手にコントロールしましょうというのがこの論文の特徴で、そういう特殊なことをやると、空の色や雲が効率よく計算できます。図33はグランドキャニオンのようなところで、動画では雲が動いて、太陽が動いて、空の色も変化しています。こういった映像を作ることができることを2010年に学会で発表しました。このように自然界の様子を表現するには、散乱光は不可欠なものだということです。

あるいは蒸気のようなものも同じテクニックで計算できます（図34参照)。密度分布が変化しているところに光源から当たった場合の光の筋の計算方法は、2016年に同じ研究所のメンバーが発表してくれました。図35のように、ある物体があっても密度分布、各層がありますが、これをある方向から見たとします。密度分布が均一ではないところに光があって、ぼやっと光源の周りが見えるわけですね。それをどのように計算するか検討した例です。そうすると、街並みがこんなふうに見えるのですよということになります。こちらも時計の周りがほのかに輝いていますが、光の散乱まで考慮しており、特に地上付近になると均一な密度になりません。こういうものをCGの世界では関与媒質が不均一だという表現をします。

ということで、今まで私の研究の発表したのですが、その研究をなぜか利用する人が現れて、これは2020年の話ですが、先ほどの私の論文を解説するYouTubeもあります。1993年に発表した論文のモデルがBlenderとい

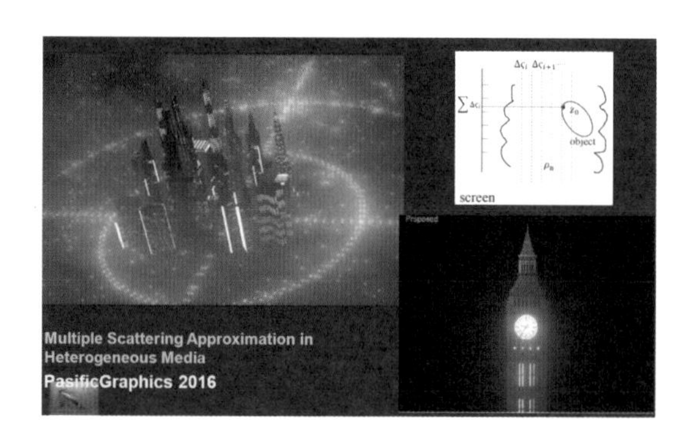

図35　不均一媒体における多重散乱近似の例

う商業ソフトに実装されたようです。このようにYouTubeでNishita Skyと入れるといっぱい出てきます。100ぐらい出てきます。それらにちゃんとNishitaと書いてあるのですね。ちょっと驚いて、今日なぜこのテーマを選んだかというと、世界中の人が、日本語で書いている人もいるし、ロシア語で書いたりスペイン語もあって、私の方法を世界の人が使ってくれていること、実は今から半年前に気が付きました。このようなYouTubeが、80どころか多分100ぐらいあって、YouTubeでNishita Sky Modelというのが使われているようです。今回の太陽の周りがこうなるとか、空が青いとか、こういうものがどのように使われているかと調べましたが、Nishitaというコマンドを選択するそうです。太陽の高さがどうだとか、塵がどうだとか、オゾンの量まで指定するそうです。空気抵抗がどうとか、こんなことも入れるのだそうです。私の論文では違う表現していましたが、Nishitaというコマンドを選択してこういうものを選ぶと、どんなことができるかということが書いてあります。Nishitaの方法で作ったらこんな新居ができた、とツイッターに書いている人もいます。昼に窓から入った光はこうなる、夕方になるとこんなふうに見えますということがNishitaのモデルでできるのだとか、いろいろ解説してくれています。オゾンやダストを指定するとこんな空になるとか、私はオゾンまで想定していなかったのですが。夕日の太陽の作り方が公開されていたり、Nishitaのモデルを使うとこんなシーンができますよとか、紹介してくださっています。さまざまな例を作ってYouTubeに上げてくれています。先ほどはブレンダーでしたが、CGソフトでもっと有名なUnityもあります。Unityのほうも大気散乱モデルを使ったらこんなふうに見えますよというのを作ってくれて公開してくれています。このように、本人の予想を超えて、いろんな人がいろんな可能性を秘めて実験しておられます。とにかくありがたい話で、本当にこういうゲームなんかでこんなシーンがいっぱい出てきますが、その元はNishitaの論文だったと思うと、うれしい限りです。

プロメテックCGリサーチの所長もしていますので少し紹介させていただきます。簡単に言うと、SIGGRAPHで発表したり、モデリングと陰影と流体がテーマで活動しています。パンフレットには、雲や炎や磁石や太陽のコロナや煙、氷が溶けるところなどのCGが掲載されています。また、繊維の細かい構造を変えたらどんな色に見えるとか、こんなことを研究所では研究しています。ちょっと面白いのは、アクリル樹脂の板を光源が照らすと、何か壁に映像が浮かび上がりますよという研究です。なんとなくCGの世界ではないようなものですが、ものづくりという意味で、半透明の板に微妙なカーブをつけると隠し絵ができるよ、ということになります。また、レゴでこういうモデル作りたいといったら、実際のレゴで作って、それだけではなくてきちんと強度が耐えるのですね。テーブルを作ってもこのレゴは学生さんが使っても大丈夫なようなのができますよとか。さらにUVプリンターで印刷すると、1枚の絵なのだけど見る方向によって4枚の絵が見られる、というものもあります。1枚の絵があったら、見る方向ごとに切り替えることができますよという研究もやりました。

簡単ですが私の研究の補足もさせていただきました。今日はこれで終わりですが、まとめとしては、CGは科学技術に想像力を与えて生活に夢を与える魔法の道具だということです。これは私が言ったことではないのですが。CGは素晴らしいなという話で、今日の話題は、物理則に基づく計算がリアルな映像を作ることには不可欠で、特に私の1998年以降の論文が、実際の商業用ソフトでいかに実用にできるかという立証ができました。ここに1985年から始まって2016年に至るまでの代表的な絵が紹介されていますが、このような空や海や煙や肌の色まで含めて、いろんなリアルな映像を作るためには散乱光計算が重要な位置を占めている、というお話でした。

これは今日の話題に関係なく、IT産業で、もうCG技術は不可欠なのですね、という話があります。こんなふうにCGは科学技術にも貢献しているし、CGって面白いねというのが今回伝わればいいと思います。最後に、富岳の絵をCGで描いたら図36のようになりますが、これは空の色から大気の色、雲、全部が今日お話した散乱光でできています。富岳と言えば、神戸には富岳がありますが、スパコン富岳が4期連続世界一になったということもお祝いしたいなということです。これが本当の終わりです。ありがとうございました。

図36　CGで描かれた富岳

おわりに

小学校6年生のとき、私は視力が落ちて眼鏡をかけるようになりました。ちょうど進学塾に通うようになり、『自由自在』という参考書の小さな字を読むことが多くなったことが原因かもしれません。ワインレッド色の細い金属フレームの眼鏡をかけた私は、鏡を見ながら“勉強ができる人”みたいな感じがして、少し大人になった気分になりました。体育が得意だった私は、算数や国語が苦手でした。ところが、眼鏡のおかげで“勉強ができる人”になれたので、これからは友達から宿題のわからないところを質問されたり、テスト勉強を手伝ってあげたりして、みんなから尊敬されるようになるにちがいないと想像していました。私の脳は、自分の見た目から勝手にキラキラした未来をつくっていきました。もちろん、眼鏡をかけただけでは頭はよくならなかったので、泣く泣く塾へ通っていましたが。

眼は光を受容する器官で、私たち人間以外にも眼をもっている生物がたくさんいます。進化の過程で視覚器が出現した時期は特定されていませんが、生物の種類が爆発的に増えた古生代のカンブリア紀（約5億年前）だという説があります。この時期に生物は飛躍的に進化しますが、その要因の一つが視覚器の獲得だというのです。ミミズは体表で光の強弱を感知するだけですが、イカは物体の形や動きも感知できる眼をもっているので、動く生物を狙って食べることができるようになります。そうすると、食べられてしまう生物は、捕まらないためにもっと早く動くように、あるいは、隠れることのできるように、はたまた、捕まっても食べられないように硬い鎧のようなものをかぶったりと、さまざまな生物が出現することになりました。生物にとって眼の獲得は多様性の引き金となったのかもしれません。

見え方も生物によってさまざまです。鳥や魚には赤、緑、青色と紫外線を含む4種類の色覚をもっているものがいますが、人間は赤、緑、青色の3種類の色覚をもっています。色覚に関係する遺伝子はX染色体上にあるので、性別によって色覚の違いが生まれることがあります。リスザルやマーモセットなどの広鼻猿類は、メスには3色が見える個体がいますが、オスは2色しか見えません。青色と赤色が見えて緑色が見えなかったり、青色と緑色が見えて赤色が見えなかったりするわけです。そういえば、高校生のときの参考書には、覚えなくてはいけない言葉を赤色のペンで書いていました。その上に赤い透明の下敷きを置くと、その言葉は消えてなくなって、存在さえしていないようでした。当時の私は“勉強ができる人”から“おしゃれな人”になるべくコンタクトレンズをつけて、電車に揺られながら下敷きに消えた言葉を思い出そうと必死になっていました。

さて、あれから年月が過ぎた今もなお、私は眼鏡をかけた人を見ると“勉強ができる人”と勝手に思っています。私の脳は、相変わらず色眼鏡がかかったままですが、その色眼鏡は神戸大学グラフィクスリテラシー教育研究センターの連続セミナーに参加すると、どんどんその色を変えていきました。この本に収録されている講演内容を読んだみなさんも見えていなかったものに気づくのではないでしょうか。あるいは、いつも見ていたものが全く違って見えるようになっているかもしれません。連続セミナーにご登壇いただいたみなさまには心からお礼を申し上げます。ありがとうございました。そして、このような機会をつくってくれている鈴木広隆センター長にはおしゃれなVR眼鏡か何か、存在しないものを見せてくれるようなものをいつかプレゼントしたいと思っています。

最後に、本書の作成にあたって、明後日デザイン制作所・近藤聡さんにたくさん助けてもらいました。ここに記して感謝申し上げます。ありがとうございました。

2024年2月　神戸大学眺望館にて

神戸大学大学院工学研究科グラフィクスリテラシー教育研究センター
センター長補佐　祇園景子

神戸大学大学院工学研究科グラフィクスリテラシー教育研究センター

メンバ

センター長

鈴木広隆　SUZUKI Hirotaka　神戸大学大学院工学研究科建築学専攻 教授

副センター長

北村雅季　KITAMURA Masatoshi　神戸大学大学院工学研究科電気電子工学専攻 教授

センター長補佐

阪上公博　SAKAGAMI Kimihiro　神戸大学大学院工学研究科建築学専攻 教授
祇園景子　GION Keiko　神戸大学バリュースクール 准教授

アドバイザー

遠藤秀平　ENDO Shuhei　神戸大学 名誉教授
多賀謙蔵　TAGA Kenzo　神戸大学 名誉教授

構成員

大村直人　OHMURA Naoto　神戸大学大学院工学研究科応用化学専攻 教授
小池淳司　KOIKE Atsushi　神戸大学大学院工学研究科市民工学専攻 教授
今井陽介　IMAI Yosuke　神戸大学大学院工学研究科機械工学専攻 教授
高田暁　TAKADA Satoru　神戸大学大学院工学研究科建築学専攻 教授
寺田努　TERADA Tsutomu　神戸大学大学院工学研究科電気電子工学専攻 教授
中江研　NAKAE Ken　神戸大学大学院工学研究科建築学専攻 教授
大谷亨　Tooru OOYA　神戸大学大学院医学研究科医療創成工学専攻 教授
黒木修隆　KUROKI Nobutaka　神戸大学大学院工学研究科電気電子工学専攻 准教授
浅井保　ASAI Tamotsu　神戸大学大学院工学研究科建築学専攻 助教

学内協力教員

梅宮弘光　UMEMIYA Hiromitsu　神戸大学大学院人間発達環境学研究科人間発達専攻 教授

長坂一郎　NAGASAKA Ichiro　神戸大学大学院人文学研究科社会動態専攻 教授

学外協力研究者

黒田龍二　KURODA Ryuji　神戸大学 名誉教授

田中龍志　TANAKA Tatsushi　株式会社ニテコ図研 代表取締役

前田稔朗　MAEDA Narurou　株式会社T&T 取締役会長

中田耀介　NAKATA Yousuke　株式会社T&Tドローン事業 リーダー

海外協力研究者

Francesco ALETTA

Lecturer, Faculty of the Built Environment, University College London

Luigi COCCHIARELLA

Professor, Dipartimento di Architettura e Studi Urbani, Politecnico di Milano

Modris DOBELIS

Professor, Department of Computer Aided Engineering Graphics, Riga Technical University

Daiva MAKUTENIENE

Associate Professor, Deportment of Engineering Graphics, Vilnius Gediminas Technical University

本活動は、JSPS 科研費 21K18506 の助成を受けたものである。

グラフィカルな表現法による複雑現象の理解
連続セミナー講演録

2024 年 3 月 29 日　初版第 1 刷発行

編者　神戸大学大学院工学研究科
　　　グラフィクスリテラシー教育研究センター
発行　神戸大学出版会
　　　〒657-8501　神戸市灘区六甲台町 2-1
　　　神戸大学附属図書館社会科学系図書館内
　　　TEL. 078-803-7315　FAX. 078-803-7320
　　　URL　https://www.org.kobe-u.ac.jp/kupress/

発売　神戸新聞総合出版センター
　　　〒650-0044　神戸市中央区東川崎町 1-5-7
　　　TEL. 078-362-7140　FAX. 078-361-7552
　　　URL　https://kobe-yomitai.jp/

印刷　神戸新聞総合印刷

落丁・乱丁本はお取り替えいたします。

ISBN978-4-909364-28-9 C3040